KB213575

공통점

시 낭독의 예술적 가치 연구

서울문화재단

공통점

시 낭독의 예술적 가치 연구

시 낭독의 예술적 가치 연구를 위한 공통점 연구모임

조온윤 윤소현 신헤아림

이 연구는 서울문화재단 2023년 예술연구활동지원사업의 지원을 받았습니다.

연구모임 소개

문학동인 공통점은 2016년 당시 문학 전공 대학생으로 구성된 시 창작 소모임으로 시작되었다. 매주 하루의 저녁을 문학이라는 연결 고리로 만나 함께 보내며 시 창작과 문학적 담론의 교류에 매진하였으며, 2017년부터 동명의 독립문예지 《공통점》을 발행하면서 본격적인 문학단체로 대내외 활동을 개시했다. 현재는 공통점 안팎의 창작자 및 기획자와 함께 문학을 기반으로 출판, 전시, 행사, 연구 등 다양한 프로젝트를 진행하면서 유기적인 문학공동체로서 기능하고 있다. 2020년 청년 인문상상 프로젝트 지원사업, 지역 문화예술 활성화 지원사업, 2021년 온라인 미디어 예술 활동 지원사업 등에 선정된 바 있으며, 2020년부터는 다양한 문학 창작자의 작품을 소개하고 지난 활동을 기록 및 보존하기 위한 온라인 웹 공간 《공통점 아카이브》를 개설하여 운영하고 있다. 2023년에는 문학에서의 '낭독' 행위에 관심을 두고 웹 환경 기반의 낭독 음원 콘텐츠를 제작하는 온라인 문학 전시 및 낭독 프로젝트 〈활자낭독공간〉을 진행한 바 있다. 매번 프로젝트의 성격에 따라 기획 주체의 인력 편성을 달리하는 방식으로 운영되고 있으며, 이번 시 낭독의 예술적 가치를 연구하기 위한 모임에는 각각 시인, 편집자, 문화기획자로 활동 중인 조온윤, 윤소현, 신혜아림이 연구원으로 참여하였다.

공통점

목차

1. 연구 소개 11

1) 연구의 배경 11

2) 연구의 필요성 13

3) 연구의 목표 14

4) 연구의 범위 및 단계 15

5) 연구 방법 16

6) 연구 문제 17

7) 연구의 예술적 효과 18

8) 연구의 사회적 효과 19

9) 연구 결과의 공유 및 활용 20

2. 자료 조사 23

1) 걷는사람 24

2) 문학과지성사 25

3) 문학동네 26

4) 민음사 26

5) 아침달 27

6) 창비 28

7) 함께하는 출판그룹 파란 29

8) 현대문학 29

결과 분석 30

3. 인식 조사 35
1) 응답자 일반 특성 35
2) 응답자 중 문학 창작자의 일반 특성 및 낭독 경험 37
3) 응답자의 낭독 행사 관객 참여 경험 40
4) 시 낭독의 예술적 가치 평가 42
5) 낭독 행사의 구성 요소 44
6) 낭독 콘텐츠 이용 및 제작 요건 45

4. 전문가 자문 49

5. 창작자 면접 조사 63

6. 기획자 면접 조사 85

7. 시범 공연 결과 105

8. 결론 및 제언 113
끝으로 116

참고문헌 118

시 낭독의 예술적 가치 연구

A study on the Artistic Value of Poetry Reading

조온윤*·윤소현**·신혜아림***

Jo, Onyun · Yoon, Sohyeon · Shin, Hearim

목차

1. 연구 소개
2. 자료 조사
3. 인식 조사
4. 전문가 자문
5. 창작자 면접 조사
6. 기획자 면접 조사
7. 시범 공연
8. 결론 및 제언

최근 시인의 창작 외 활동 양상을 살펴보면, 작품집을 출간한 이후 낭독회 및 책담회 등의 문학 행사에 활발히 참여하고 있다는 것을 확인할 수 있다. 이러한 형식의 행사는 주로 출판사의 주관으로 출판 홍보의 성격을 띤 행사로 개최되고 있으며, 대부분 행

* 제1저자, 전남대학교 대학원 문헌정보학과 석사 수료, 노작홍사용문학관 재직 중.
** 제2저자, 조선대학교 문예창작학과 졸업, 한국특허기술진흥원 재직 중.
*** 제3저자, 조선대학교 문예창작학과 졸업, 목포문화재단 문화도시센터 재직 중.

사 내용으로 시인의 낭독 활동을 포함하고 있다. 이러한 변화를 바탕으로 시인의 시 낭독이 지니는 예술적 가치를 탐구하고자 문학 분야 독자 및 창작자를 대상으로 인식 조사를 실시했다. 아울러, 국내 주요 문학 전문 출판사에서 발행되고 있는 시집 총서를 조사하여 낭독 행사 진행 여부를 파악하였으며, 현재 활발하게 활동 중인 시인과 낭독 행사 기획자를 대상으로 면접 조사를 실시했다. 이러한 과정을 통해 현대 시인의 시 낭독에 대한 예술적 가치 부여와 문학적 비평 가능성, 공식적인 예술 활동으로서의 인정 및 발전 가능성 등을 고찰하였으며, 대부분 독자와 창작자가 시 낭독을 시인의 예술 활동으로서의 인식하고 있다는 유의미한 결과를 도출하였다. 나아가 상기 연구 결과를 토대로 낭독형 공연 형식의 시범 공연을 개최하여 공유하는 한편, 관객 반응 및 만족도 조사를 실시하여 후속 연구를 지원하고자 하였다. 본 연구를 시작으로 시인의 시 낭독에 대한 다양한 예술적 담론이 생성되고, 낭독 행사에 대한 제도적 지원과 대중의 관심이 제고되기를 기대한다.

□ 주제어: 문학, 시인, 낭독, 예술, 낭독회

시 낭독의 예술적 가치 연구

1. 연구 소개

2. 자료 조사 3. 인식 조사 4. 전문가 자문 5. 창작자 면접 조사 6. 기획자 면접 조사 7. 시범 공연 결과 8. 결론 및 제언

1. 연구 소개

1) 연구의 배경

문학은 언어와 문자를 재료 삼아 작가가 자신의 심상과 사상, 외부의 대상 등을 운문과 산문 등의 형식으로 표현하는 언어예술로, 책이라는 기록 매체가 발명된 이래 독서를 문학작품의 필수적인 수용 행위로서 수반되어왔다. 그러나 고대 시민사회에서는 문자를 읽고 이해할 줄 아는 독해력을 지닌 이가 주로 고급 교육을 받은 소수의 상류층으로 한정되었던 데다 묵독이란 개념이 확립되지 못하였던 시기였기에, 당시의 문학은 문해력을 갖춘 낭독자를 도구적 매개로 하여 음성화가 되어야만 그것의 예술적 가치와 존재 의의가 온전하게 성립될 수 있었다.

이후 중세를 거치면서 인쇄기술의 혁명이 일어나고 지배계급이 점진적으로 몰락함과 동시에 시민계급의 권리가 증대되기 시작하면서, 문학 독서의 개념 또한 타인에게 그 의미를 전달하기 위해 행해지는 음독이 아니라 독자 개인을 위하여만 수행되는 묵독이 대체하게 되었다. 묵독은 오랜 시간 독서와 일치하는 개념으로 그 지위를 유지해오고 있으나, 다시 현대에 이르러 근래의 문학 독자들은 타인 혹은 매개적 도구에 의해 텍스트의 내용을 음성으로 전달받는 낭독의 편리성과 음성화된 문학작품의 심미성에 주목하고 있다. 최근 문학작품의 텍스트를 음원으로 전환한 오디오북 콘텐츠를 청취함으로써 책의 내용을 '읽었다'라고 인식하는 독자가 발생하고 있다는 점이 이를 방증하고 있다.

아울러, 오디오북과 팟캐스트 같은 음성콘텐츠 시장의 확장과 문학 작가를 중심으로 개최되는 낭독형 공연 행사의 활성화는 점점 더 많은 현대인이 다시 문학작품을 음성화하는 낭독 행위를 청취함으로써 문학을 향유하고 있음을 뒷받침한다. 이러한 경향은 최근 문학의 향유층이 단순히 지면을 매개로 시각적 텍스트로만 문학작품을 수용하는 '독자'가 아니라, 청각적 신호로서의 수용이 가능한 낭독 공연 및 낭독 음원 콘텐츠의 '청자' 혹은 '관객'으로 전환되고 있다는 점도 시사하고 있다. 다시 말해, 문학 및 출판계와 관련한 소비시장에서부터 소비 활동의 변화가 일어나고 있다는 것을 보여준다.

문학작품의 창작자이자 문학 및 출판 시장의 1차적 생산자라고 할 수 있는 문학 작가의 활동 또한 변화를 보이고 있다. 최근 문학 분야의 작가들은 대부분 작품집을 출간한 이후에 낭독회, 책담회, 인터뷰 등의 부가적인 활동을 수행하고 있다. 이들은 장르를 불문하고 책담회와 낭독회 등 주로 관객을 대면하는 출간 행사 혹은 문학 행사에 활발하게 참여하고 있으며, 이러한 형식의 행사는 주로 서점에서 판촉과 공간 홍보를 목적으로 신간을 발행한 작가를 섭외하여 진행되거나, 출판사의 주관하에 출판 마케팅의 성격으로 기획 및 개최되고 있다. 또는 공공도서관에서 기획 및 주최하는 문학 주제의 프로그램 강사로도 문학 작가들이 다수 섭외되고 있다.

아울러 국내의 주요 문학 출판사가 주최한 행사 내용을 살펴보면 행사 내용에 낭독이 포함되는 경우가 많다는 걸 확인할 수 있다. 특히 문학 작가 중에서도 시인의 경우 낭독 활동이 많았는데, 시집 출간 이후의 행사는 타 분야에 비해 낭독 행위가 출간 행사의 주요한 구성 및 내용으로 활용되고 있었다. 출판사가 출간 행사 정보를 제공하고 홍보하는 출판사별 누리소통망을 살펴본 결과, 대부분의 시집 출간 행사에는 시인이 시를 낭독한다는 내용을 포함하고 있는 것으로 나타났다. 이를 근거하기 위한 사전 조사로 2022년 한 해 동안 A 출판사에서 시집을 발간한 시인의 출간 행사 개최 여부와 행사 유형을 조사한 바에 따르면 총 16명 중 7명의 시인이 출판사의 주관으로 개최된 출간 행사에 참여한 경험이 있는 것으로 나타났으며, 그중 6명이 출연한 2건의 오프라인 행사와 4건의 온라인 행사의 개요 및 설명에 '낭독', '낭독회' 등의 표현을 포함하고 있었다. 한편, B 출판사의 경우에는 해당 출판사에서 시집을 출간한 시인 14명 중 6명이 2건의 오프라인 행사와 4건의 온라인 행사에 참여하였으며, 6건의 행사 모두 '낭독회'라는 명칭을 표제 또는 부제로 사용하고 있었다. 이는 곧 시인이 창작 활동 외에 낭독을 주요 활동 중 하나로 수행하고 있는 것으로 추론해볼 수 있다.

2) 연구의 필요성

낭독은 과거 문학의 예술적 가치와 의의를 완성하는 요소 중 하나였다. 인쇄 혁명 이후 문해력을 갖춘 독자가 절대다수를 이루게 되면서 청각적 요소를 배제하는 묵독의 시대가 도래하였으나, 현시대 독자가 문학작품을 향유하는 방식을 살펴보면 다시금 낭독의 음성적 심미성과 편리성 등 그 가치에 주목하고 있음을 알 수 있다. 이와 함께 최근 시인의 주요한 대외활동 중 하나로 출간 행사의 내용에 낭독을 적극적으로 활용하고 있지만 관련 연구가 미비한 실정이다. 낭독 활동은 시와 소설 등 문학작품을 창작하고 발표하는 활동 외에 부가적으로 잇따르는 일회성 행사의 콘텐츠로서만 인식되고 있으며, 공식적인 예술 활동으로는 인식되지 못하고 있다. 아울러, 시인의 낭독이 비평의 대상에 포함되지 않고 단순히 문학 행사에 수반되는 행위로서만 인식되고 있다. 이처럼 변화하는 문학의 흐름에 필요한 관련 담론이 부재하기에 담론을 생산할 필요가 있을 것으로 보인다.

3) 연구의 목표

공통점 연구모임은 이러한 필요성에 근거하여 시인의 시 낭독 활동이 지니는 예술적 가치에 관한 연구를 진행했다. 연구에 앞서 공통점은 시 낭독에 대한 문학적 비평 확장과 예술 활동으로서의 발전 가능성의 연구를 목표로 설정했다. 현대 시인의 시 낭독에 대한 예술적 가치 부여와 문학적 비평 가능성, 공식적인 예술 활동으로서의 인정 및 발전 가능성 진단을 정성적 목표로 연구하는 한편, 낭독형 공연의 쇼케이스(결과 공유회) 제작과 연구 자료집 출간 등을 정량 목표로 삼았다.

구체적인 연구 목표로는 다음과 같은 세 가지를 설정하였다. 첫째로, 문학 독자 및 창작자의 인식을 토대로 시인의 시 낭독에 예술적 가치를 부여하고자 했다. 출판 판촉 및 문화 확장으로 시인의 시 낭독이 활발해지고 있는 상황에서 문학 독자와 창작자가 이러한 시 낭독을 예술 활동으로 인식하는 인식도를 우선 살펴보기로 했다.

둘째, 시인의 낭독 활동이 공식적인 예술 활동으로 인정받고 발전할 수 있는지 진단하고자 했다. 지금까지 시인이 낭독형 공연 및 낭독 행사에 참여하는 것은 문학 작가로서의 예술 활동으로 인정되지 못하였으나, 이러한 행사에서의 시 낭독 행위가 공식적인 예술 활동으로 인정될 가능성을 모색하려 했다.

셋째, 낭독 행위 자체에 대한 문학적 비평이 가능할지 연구하고자 했다. 이를 통해 시인의 시 낭독 행위에 대한 음성학적, 언어학적 비평이 가능할지 타진해 보려 했다.

이상 세 가지 목표와 함께 공통점은 자체적으로 기획한 낭독형 공연의 쇼케이스 제작 및 발표를 통해 상기한 낭독의 예술적 가치 발견을 관객에게 제시하고자 했다. 특히, 연구 내용을 바탕으로 기획한 낭독형 공연의 쇼케이스를 관객에게 경험하도록 하여 낭독의 예술적 가치와 예술 활동 인정 가능성 등을 질문하고자 했다.

4) 연구의 범위 및 단계

본 연구의 범위 설정으로, 문학 작가 중에서도 시를 창작하는 시인과 시 장르의 독자(관객)를 조사 및 연구 대상으로 제한하였다. 이러한 연구 범위의 제한은 연구 대상을 문학 장르 전 범위의 창작자로 광범위하게 설정할 경우, 예산과 인원에 대비하여 현실적인 프로젝트 추진 및 조사 연구에 지나친 부담과 한계가 있을 것으로 판단되므로, 이는 후속 연구의 과제로 남겨두기로 했다.

아울러, 공통점은 본격적인 연구 수행에 앞서 연구의 추진 계획으로 연구 방법과 연구 문제, 시범 공연 추진 방안을 설계하였다. 프로젝트 기간은 지원사업의 결과 발표 이후인 2023년 5월부터 2023년 12월까지 총 8개월이었으며, 총 9개의 단계로 전체 프로젝트를 추진했다. 연구 단계별 상세한 추진 내용은 다음과 같다.

먼저, 참여자 섭외 및 확정과 연구 설계 단계에서는 면접 대상자를 섭외하였으며, 섭외 완료된 참여자와 일정 등을 최종 조율했다. 아울러, 작가와 독자 집단의 낭독에 대한 인식 조사 연구의 설문 문항을 설계했다.

두 번째, 사전 연구 및 조사와 전문가 자문을 실행했다. 이 단계에서 사회조사 전문가와 문학 분야 전문가로부터 자문받았으며, 해당 자문의 결과에 따라 인식 조사의 설문 문항을 수정했다.

세 번째 과정으로, 작가 및 독자 집단을 대상으로 인식 조사를 실시했다. 모집단을 대상으로 설문지를 배포 및 회수하였으며, 이후 조사 결과를 취합하여 통계 자문을 토대로 결과 분석을 진행했다.

네 번째로 연구의 중간 점검 및 공유를 위한 행사를 개최했다. 사전에 섭외한 작가 5인을 중심으로 낭독회 및 결과공유회로 기획하였으며, 서울 경복궁역 인근 문화공간시설을 대관하여 진행되었다. 안전 수칙 등을 준수하여 사고 없이 마무리되었으며, 행사 종료 후 현장에서 관객의 반응 및 만족도를 추가로 조사했다.

5) 연구 방법

다음으로, 연구 방법으로는 독자(관객) 집단과 문학 작가 집단으로 나누어 인식 및 선호도에 대한 사회조사로 질문지법을 실시했다. 질문 문항의 경우, 사전 조사의 결과를 바탕으로 인식도 조사를 위한 예비 설문지 문항을 개발하였으며, 문학 분야 전문가 2인에게 설문 내용의 적정성을 자문받았다. 이후 설문 문항의 가독성과 이해도 등을 살펴본 뒤 필요한 수정사항을 반영했다.

질문 문항의 구성은 응답자의 나이, 성별, 지역 등 일반적 특성 파악을 위한 명목 척도 문항 외에도 인식도 및 선호도를 조사하기 위한 5단계 등간 척도의 문항으로 설계했다. 이를 온라인 설문지 제작 프로그램으로 제작하여 비대면으로 조사를 실시하였으며, 설문지 회수 후 독자 집단과 작가 집단의 인식 조사 결과에 대하여 통계 전문가에게 자문받았다. 마지막으로, 조사 대상인 양 집단 간 차이 등을 분석하여 결론 및 제언을 도출했다.

이와 더불어, 설문 방식 및 폐쇄형 질문 등으로는 담아내지 못하는 내용을 보완하고 자세한 의견을 듣기 위해 시인과 낭독 주최단체를 대상으로 각각 현장에서 면접 조사 방식으로 실행했다.

6) 연구 문제

인식 조사 중 독자 집단을 대상으로 하는 설문 문항으로는 시 낭독의 예술적 가치로서의 인식, 시인의 활동 중 시 낭독 및 낭독형 공연의 중요도 인식, 시 묵독 대비 시 낭독 청취의 선호도 등을 설정했다. 한편, 작가 집단의 인식 조사로는 독자 집단과 동일하게 시 낭독의 예술적 가치로서의 인식, 시인의 활동 중 시 낭독 및 낭독형 공연의 중요도 인식, 시 묵독 대비 낭독 청취의 선호도 조사 등과 더불어 창작 활동과 관련한 일반적 특성, 낭독 행사 참여 경험 등을 질문했다. 이상의 연구 문제를 요약하여 제시하면 다음과 같다.

Q 1. 시 낭독의 예술적 가치 인식은 어떠한가?

Q 2. 시인의 창작 외 활동 중 낭독 및 낭독형 공연의 중요

성에 대한 인식은 어떠한가?

Q 3. 묵독과 대비하여 시 낭독 청취를 통한 문학작품 향유의 선호도는 어떠한가?

Q 4. 문학작품의 낭독형 공연에 대한 기대 요소는 무엇인가?

Q 5. 작가의 낭독형 공연 활동이 공식적인 예술 활동으로 인정될 필요성이 있는가?

7) 연구의 예술적 효과

본 연구 프로젝트를 수행함으로써 제시한 예술적 효과는 다음과 같다. 첫째, 시 낭독의 예술적 가치 발견과 인식의 제고이다. 문학 독자에게 시 낭독이 지닌 예술성과 심미성 등을 제시할 뿐만 아니라, 텍스트의 시각적 수용으로 제한되었던 시 문학의 기존 향유 방식을 확장하여 낭독 음성의 청각적 수용이 활성화될 것이라고 예상한다.

둘째, 문학 작가의 낭독 행사에 대한 예술 활동 인정 가능성이다. 즉, 본 연구를 통해 시인의 낭독 행사 참여가 공식적인 예술 활동으로 인정받을 수 있을지 타당성과 가능성 등을 연구하는 기초 자료가 될 수 있을 것이다. 긍정적인 결과가 도출될 경우, 문학 작가의 낭독형 공연 행사 참여가 단순히 홍보와 마케팅을 넘어서서 문학 작가로서의 예술 활동으로 인정받을 수 있을 것으로 기대한다. 만약 본 프로젝트의 쇼케이스 발표를 통해 낭독형 공연이 예술 활동으로서 유의미한 결과를 제시할 수 있다면, 향후 시인을 비롯해 전 분야의 문학 작가가 공연 등으로 예술 활동을 지속하는 데에 도움을 줄 수 있을 것이다.

셋째, 시 낭독의 예술적 가치 발견을 통한 문학 분야의 전반적인 발전이다. 시인의 시 낭독이 문학 비평의 대상에서 제외되고 있는 현재의 비평 범위를 넓힘으로써 문학의 음성학 및 언어학적 연구와 비평이 활성화될 것으로 예상하였으며, 공연 비평의 형식과 결합하여 문학의 장르적 범위 확장과 문학 비평의 발전에 긍정적인 영향을 미칠 수 있을 것으로 기대한다.

8) 연구의 사회적 효과

이와 더불어, 문학 작가가 예술 활동을 지속하는 데에도 도움이 될 것으로 예상한다. 「2018 예술인 실태조사」(문화체육관광부, 2019)를 통해 파악한 국내 문학인의 예술 활동을 통한 수입이 연평균 549만 원 수준으로, 문예지의 작품 발표를 통한 원고료 수입은 턱없이 부족한 실정이다. 이를 기본적인 생활 영위가 가능한 수준까지 끌어올리는 것은 한계가 있겠으나, 앞으로 문학 작가들의 낭독 행사 참여가 더욱이 활성화된다면 현 수준보다 개선된 예술 활동 수입을 얻을 수 있을 것이다.

한편, 한국예술인복지재단에서 운영하는 「예술활동증명」 제도를 위한 시인의 예술 활동 인정 기준을 살펴보면, ①최근 5년 동안 5편 이상의 시를 문예지 등에 발표하거나, ②최근 5년 동안 1권 이상의 시집을 출간한 경우이다. 본 연구가 기초가 되어 시 낭독 행사 참여가 공식적인 예술 활동으로 인정된다면, 이러한 제도적 제한 장치를 해제하고 장기적으로 예술 활동을 이어갈 수 있는 계기가 되어주리라 기대한다.

9) 연구 결과의 공유 및 활용

공통점은 본 연구의 과정 및 결과에 대한 홍보와 더불어 기록 및 보존 작업을 진행하였다. 홍보의 경우에는 크게 온라인 홍보와 오프라인 홍보로 나누어 진행하였으며, 장기간 온라인으로 운영해오고 있는 문학 웹진이자 공식 누리집인 '공통점 아카이브(http://commonpoint.kr)'와 공통점의 누리소통망을 활용하였다.

특히, 해당 누리소통망의 경우, 문학에 관심을 지닌 사용자의 계정과 연결되어 있으므로, 효과적인 홍보와 활동 기록의 공유가 가능하다는 점을 적극적으로 활용하였다. 누리소통망에는 〈시 낭독의 예술적 가치 연구 일지〉라는 콘텐츠명으로 본 연구의 중간 결과 및 과정을 카드뉴스 형태로 제작하여 공유하였다. 본 연구가 종료된 이후로도 누리소통망으로 후속 연구 내용을 공유함으로써 본 연구 주제에 관한 파급 효과를 확대할 계획이다.

이 밖에도 본 연구 자료가 문학 관련 단체로 하여금 콘텐츠 사업을 확장해 나갈 수 있도록 도움을 줄 수 있을 것으로 예상한다. 이를 통해 시 낭독의 콘텐츠화 발전 방안을 수립하고 독자 인식에 따른 보완 지점을 파악함으로써 장기적으로 문학 콘텐츠 제작과 낭독 행사 관련 기획에도 적극적으로 활용할 수 있을 것이다.

시 낭독의 예술적 가치 연구 1. 연구 소개 **2. 자료 조사** 3. 인식 조사 4. 전문가 자문 5. 창작자 면접 조사 6. 기획자 면접 조사 7. 시범 공연 결과 8. 결론 및 제언

2. 자료 조사

먼저, 공통점 연구모임은 주요 출판사별로 최근 시집 총서의 발간 현황 및 낭독 행사의 개최 여부 등을 파악하고자 했다. 조사 기간은 2020년 8월부터 2023년 8월까지로 설정하였다. 대상은 시집 총서를 출간하는 국내의 주요 문학 전문 출판사인 걷는사람, 문학과지성사, 문학동네, 민음사, 아침달, 창비, 함께하는 출판그룹 파란, 현대문학으로 총 8개사를 조사하였다. 조사 방법으로는 먼저, 8개 출판사에서 조사 기간인 3년 동안 출간한 시집 총서를 조사하여 목록화하였으며, 출판사별 누리소통망(인스타그램, 페이스북, 네이버 블로그 등)과 누리집에 공지한 낭독 행사의 내용 중 '낭독', '낭독회' 등의 연구 관련 주제어가 포함된 게시물을 추출하였다. 게시물 중 기준에 맞지 않는 행사는 제외하였다.

조사의 공통 기준으로는 첫째로, 해당 기간 내에 출간한 도서로 한정하였다. 조사 기간 내에 낭독 행사를 개최했으나 출간일이 조사 기간을 벗어나는 경우는 추가하지 않았다. 예시로, 2020년 8월에 낭독회를 개최하였으나 조사 기간 이전인 2020년 7월에 출간된 도서는 제외하였다.

두 번째 공통 기준으로, 낭독 행사의 주관 단체가 출판사에 해당하는 경우에만 조사 대상으로 인정하였다. 여기에 출판사와 타 기관이 공동으로 주최한 행사를 포함하였으며, 이 밖에 서점이나 도서관, 문화시설 등이 단독 주관 단체로 표시된 경우는 조사 결과에서 제외하였다. 예시로, 출판사 누리소통망에 게시된 홍보물이기는 하나 해당 출판사가 아닌 타 기관의 행사를 홍보하는 게시물일 경우에는 포함하지 않았으며, 서울국제작가축제, 서울국제도서전, 대한민국 독서대전 등의 대규모 행사에 포함된 홍보 게시물 또한 결과로 산정하지 않았다.

마지막으로, 온라인 및 오프라인 공간에서 실시간으로 관람할 수 있는 행사가 아니라 시인의 낭독 음성을 녹음하여 제작한 음원 및 영상 게시물은 콘텐츠에 가깝다고 판단하여 포함하지 않았다.

공통점은 상기 조사 기준을 토대로 온라인 서점 및 출판사 누리집, 누리소통망 등에서 확인할 수 있는 정보를 조사했으며, 다음과 출판사별 조사 결과를 도출할 수 있었다.

1) 걷는사람

먼저, 걷는사람은 2017년 설립된 출판사로, 8개 출판사 중 가장 최근에 설립된 출판사이다. 2018년 4월부터 '걷는사람 시인선'을 출간하고 있으며, 설립된 지 오래되지 않아 조사 시점에서는 시집 총서의 종수가 가장 적었다. 기하학적인 도형을 활용하는 표지 디자인이 특징이며, 조사일을 기준으로 총 89종을 출간했다.

이 중에서 조사 기간인 3년 동안 출간된 시집은 64종으로, 8개 출판사 중에서 두 번째로 많은 시집을 출간한 것으로 나타났다. 조사를 통해 출판사 설립 이후 짧은 기간 동안 다수의 시집을 출간하고 있다는 것을 알 수 있었다. 출판사 주최의 낭독 행사를 진행한 시집은 4종으로 낮은 수치를 기록했다. 해당 낭독 행사는 전부 대면으로 진행되었다.

[표 1] 걷는사람 시집 종수 및 낭독 행사 진행 여부

도서 수	출간 시집	64
	낭독 행사 진행 시집	4
대면 여부	대면(오프라인)	4
	비대면(온라인)	0

2) 문학과지성사

문학과지성사는 1975년 12월 군사 정권의 억압적 사회체제가 임계점에 다다가던 시기에 출범한 출판사로, 문학의 성찰적인 가능성을 적극적으로 수행하고자 계간 《문학과지성》 동인을 함께한 김병익, 김주연, 김치수, 김현, 황인철 등이 함께 설립하였다. 시집 총서로는 1978년 황동규 시인의 시집 『나는 바퀴를 보면 굴리고 싶어진다』를 제1호로 시작한 '문학과지성 시인선'이 있으며, 시인의 캐리커쳐를 활용한 표지가 특징이다. 조사일 기준 588종을 출간했다.

조사 기간에 포함된 출간 종수는 45종이었는데, 그중 9종의 시집이 낭독 행사를 진행한 것으로 파악되었다. 대면 행사는 3건, 비대면 행사는 6건이었다.

[표 2] 문학과지성사 시집 종수 및 낭독 행사 진행 여부

도서 수	출간 시집	45
	낭독회 진행 시집	9
대면 여부	대면(오프라인)	3
	비대면(온라인)	6

3) 문학동네

문학동네는 다양한 임프린트와 계열사로 구성된 출판그룹으로, 1993년 12월 창립되어 문학 전문 계간지 《문학동네》를 발행하며 한국문학의 지형도에 큰 변화를 이끌었다. 시집 총서로 '문학동네 시인선'과 '문학동네 포에지' 등이 있으며, 2011년 1월 문학동네 시인선 1호로 최승호 시인의 시집 『아메바』가 발간되어 조사일 기준 199종을 출간한 것을 확인할 수 있었다. 문학동네 포에지는 절판 시집을 재출간하는 시리즈로, 조사에는 문학동네 시인선 시집만을 포함하였다.

결과를 살펴보면, 문학동네가 지난 3년간 출간한 문학동네 시인선은 55종이며 그중 15종의 시집을 대상으로 낭독 행사를 진행한 것을 알 수 있다. 행사는 전부 비대면 혹은 대면과 비대면을 혼합하는 방식으로 진행되었다.

[표 3] 문학동네 시집 종수 및 낭독 행사 진행 여부

도서 수	출간 시집	55
	낭독회 진행 시집	15
대면 여부	대면(오프라인)	0
	비대면(온라인)	13
	대면+비대면 혼합	2

4) 민음사

민음사는 1966년 박맹호 회장이 출범시킨 출판사로, 1976년부터 2015년까지 문학 전문 계간 《세계의 문학》을 발행했다. 1986년 시집 총서 '민음의 시'를 시작해 조사일 기준 315종의 시집을 만들었다. 민음의 시 시리즈는 한국 시단을 이끌어온 중견 시인들을 배출하는 한편, 미래 한국 시단을 이끌어 갈 젊은 목소리에 꾸준히 주목하고 있다고 소개되고 있다.

조사 기간 민음의 시로 출간된 시집은 총 43종이며, 절반에 가까운 20종의 시집을 대상으로 낭독 행사가 진행된 것으로 나타났다. 대면과 비대면 행사가 비슷한 횟수로 진행되었으며, 8개 출판사 중 가장 활발하게 낭독 행사를 운영하고 있었다.

[표 4] 민음사 시집 종수 및 낭독 행사 진행 여부

도서 수	출간 시집	43
	낭독회 진행 시집	20
대면 여부	대면(오프라인)	9
	비대면(온라인)	7
	대면+비대면 혼합	4

5) 아침달

아침달은 디자인 회사인 디자인수다의 출판브랜드로, 출판과 함께 마포구에서 동명의 시 전문 서점을 운영하고 있다. 시집 총서는 '아침달 시집'이며, 2017년 유희경 시인의 시집 『당신의 자리 - 나무로 자라는 방법』이 '아침달 무늬'라는 총서 이름으로 발행되었다가 이후에 변경된 것으로 보인다. 시집 출판의 경우 큐레이터 역할을 하는 시인이 참여하여 출간 여부를 결정하는 구조로 운영되고 있으며, 조사일 기준 총 32종이 발행되었다.

조사 기간 중 출간 시집은 8개 출판사 중 가장 적은 17종이었으며, 단 1종을 제외한 16종 시집이 모두 낭독 행사로 기획된 것으로 나타났다. 즉, 시집 종수 대비 낭독회 진행 여부의 비율이 가장 높았으며, 타 출판사보다 시집을 적게 출간하는 대신 행사를 통한 시집 홍보에는 가장 적극적이라는 것을 알 수 있었다.

[표 5] 아침달 시집 종수 및 낭독 행사 진행 여부

도서 수	출간 시집	17
	낭독회 진행 시집	16
대면 여부	대면(오프라인)	11
	비대면(온라인)	5

6) 창비

창비는 1966년 문학평론가 백낙청 등의 주도로 창간된 계간 《창작과비평》을 연원으로 두고 있는 출판사로, 2003년에 사명을 기존 창작과비평사에서 현재의 창비로 변경했다. 신군부가 정권을 장악했던 1980년과 1985년에는 각각 《창작과비평》이 폐간되고 출판사 등록이 취소되는 탄압을 받기도 했다. 참여문학을 지향하며 지성계에 진보적 새바람을 일으킨 출판사로 평가받고 있으며, 1975년 시집 총서 '창비시선'을 시작해 조사일 기준 492종에 이르렀다.

지난 3년간 출간된 창비시선의 시집은 모두 46종이었으며, 낭독 행사를 진행한 시집은 16종이었다. 행사의 진행 방식은 대면이 2회, 비대면이 14회였다.

[표 6] 창비 시집 종수 및 낭독 행사 진행 여부

도서 수	출간 시집	46
	낭독회 진행 시집	16
대면 여부	대면(오프라인)	2
	비대면(온라인)	14

7) 함께하는 출판그룹 파란

함께하는 출판그룹 파란(이하 '파란')은 2015년 설립된 출판사이다. 2016년 계간 《파란》 발행을 시작했고, 이보다 앞선 2015년에 '파란시선' 1번으로 홍신선 시인의 시선집을 발간했다. 조사일 기준으로 130종을 출간했다.

파란은 조사 기간인 3년 동안 8개 출판사 중 가장 많은 70종의 시집을 출간한 것으로 나타났다. 조사 결과의 특이점으로는 시집의 홍보 및 마케팅 활동이 활발하지 않았다. 누리소통망을 운영하는 대신 공식 누리집 역할을 하는 인터넷 카페를 운영하고 있으나, 출판사가 주최가 되어 낭독 행사를 진행한 이력이 없는 것으로 파악되었다. 출간 종수가 가장 많았던 것에 비해 낭독 행사를 진행한 시집은 전무했다.

[표 7] 함께하는 출판그룹 파란 시집 종수 및 낭독 행사 진행 여부

도서 수	출간 시집	70
	낭독회 진행 시집	0
대면 여부	대면(오프라인)	0
	비대면(온라인)	0

8) 현대문학

1954년에 창립된 현대문학은 8개 출판사 중에서 가장 오랜 내력을 지니고 있다. 특히 현대문학이 발간하는 월간 《현대문학》 또한 1955년 창간된 이래 현재까지 한국에서 가장 오랫동안 기간 결호 없이 발행 중인 문예지이다. 유구한 사력과 달리 수상시집이나 기념시집 등을 제외하고는 시집 총서를 발간하지 않았으나, 2018년 3월에 이르러 '현대문학 핀시리즈 시인선'을 시작해 8개 출판사 중에서는 두 번째로 짧은 기간 동안 시집 총서를 만들고 있다. 조사일 기준으로 47종의 시집이 있다.

현대문학이 지난 3년 동안 핀시리즈로 출간한 시집은 모두 17종으로, 아침달 출판사와 더불어 출간 시집의 종수가 가장 적었다. 낭독 행사를 진행한 시집은 12종이었으며, 출간 시집의 행사 진행 비율이 높은 편이었다.

[표 8] 현대문학 시집 종수 및 낭독 행사 진행 여부

도서 수	출간 시집	17
	낭독회 진행 시집	12
대면 여부	대면(오프라인)	0
	비대면(온라인)	12

결과 분석

이상 조사 결과를 종합해 보면, 지난 3년간 8개 출판사에서 출간된 시집 종수는 총 357종이었고, 그중에서 92종의 시집은 시인의 낭독을 포함하는 행사를 진행한 것으로 나타났다. 이는 조사 기간 출간된 모든 시집의 25.7%에 해당하는 수치였다. 즉, 시집 4권 중 1권꼴로 출판사 주최의 낭독 행사가 열리고 있었다.

행사의 운영 방식으로는 29건이 오프라인 현장에서 독자들을 모집하는 방식으로 진행되었고, 57건은 인스타그램(Instagram), 유튜브(YouTube), 줌(Zoom) 등의 누리소통망과 화상 통화 서비스를 활용해 온라인으로 진행된 것으로 파악되었다. 이외에 온라인과 오프라인 모두 진행된 시집 출간 행사는 6건이었다.

오프라인 행사보다 온라인 행사가 더 많았던 원인은 조사 기간에 코로나19의 유행 시기가 포함되어 각종 행사의 대대적인 비대면 전환이 일어났던 때문으로 보이지만, 2023년에 접어들며 코로나19 확산이 감소했는데도 여전히 대다수가 온라인 행사로 이뤄지고 있었다. 온라인 행사가 오프라인 행사보다 대관료 등의 부대비용을 절감할 수 있고, 모객 부담이 적으며, 불특정 다수를 대상으로 하는 홍보 효과가 큰 데다가, 물리적 제한 없이 누구나 참여할 수 있다는 이점이 있기에 이러한 경향이 나타난 것으로 파악된다.

한편, 위 조사 결과의 숫자가 출판사가 주최한 행사만을 조사한 것임을 고려하면 훨씬 더 많은 시인의 낭독 행사가 이뤄지고 있다는 것 또한 유추해 볼 수 있다. 2021년을 기준으로 우리나라에 등록 및 운영 중인 서점은 총 2,716개이고, 공공도서관은 총 1,208개가 설립되어 있는데, 최근 몇 년간 지역별 도서관과 서점을 중심으로 다양한 문화 행사가 열리고 있고 주로 문학 작가가 참여하고 있기 때문이다. 즉, 이러한 통계 및 자료는 시인들의 낭독 활동과 더불어 독자들이 시인을 만나고 시인의 낭독으로 시를 감상할 수 있는 자리도 점점 더 많아지고 있음을 알려주고 있다.

시 낭독의 예술적 가치 연구 1. 연구 소개 2. 자료 조사 **3. 인식 조사** 4. 전문가 자문 5. 창작자 면접 조사 6. 기획자 면접 조사 7. 시범 공연 결과 8. 결론 및 제언

3. 인식 조사

앞서 살펴본 바와 같이 시인의 시집 출간 이후 시 낭독 활동이 활발하게 이루어지고 있는 가운데, 대중이 이를 단순 홍보 및 판촉 목적으로 받아들이는지, 혹은 시인의 예술 활동으로 인식하는지 파악할 필요가 있었다. 이에 공통점 연구모임은 자료 조사 등 사전 연구에 이어 시 낭독에 대한 대중적인 인식도와 관련 제도 개선의 필요성 등을 살펴보고자 문학 분야 독자와 창작자를 대상으로 인식 조사를 실행했다. 인식 조사는 2023년 7월 19일부터 8월 11일까지 23일간 문학 분야 독자 및 창작자를 대상으로 진행되었다. 공통점 누리소통망과 문화예술 관련 기관의 누리집 등에 설문 참여를 홍보하여 온라인으로 설문지를 배포하고 회수한 결과 190명으로부터 응답을 받을 수 있었다.

1) 응답자 일반 특성

먼저 아래 [표 9]의 응답자의 일반 특성을 살펴보면, 성별 분포에서 여성이 63.7%, 남성이 33.7%, 지정 성별로 특정하지 않음이 2.6%로 나타나 문학 분야 독자 중 여성의 비율이 높은 것으로 파악되었다. 응답자의 연령은 만 20세~29세가 61.6%, 만 30세~39세 23.2%, 만 19세 이하 6.8%, 만 40세~49세 5.8%, 만 50세~59세 2.6% 순으로 나타났다. 거주지역은 서울이 32.1%로 가장 높았고, 다음으로 인천·경기가 30.5%, 전라권(광주 포함)이 24.2%, 경상권(대구·부산·울산 포함)이 7.4%,

충청권(대전·세종 포함)이 3.7%, 강원권이 2.1% 순으로 나타났다. 직업은 학생이 34.7%로 가장 많았고, 두 번째로 문화예술이 33.7%, 다음으로 사무·관리가 11.1%, 교육·서비스업이 8.4%, 기타 8.4%, 전업주부가 1.6%, 자영업 1.1%, 기능 노무 1.1% 순이었다. 또한 응답자 190명 중 문학 분야 창작자로 활동하는 인원은 44명으로 전체의 23.2%였으며, 창작자가 아닌 인원은 146명으로 전체 비율의 76.8%로 나타났다.

[표 9] 응답자의 일반적 사항

		빈도	퍼센트
성별	여성	121	63.7
	남성	64	33.7
	지정 성별로 특정하지 않음	5	2.6
연령	만 19세 이하	13	6.8
	만 20세~29세	117	61.6
	만 30세~39세	44	23.2
	만 40세~49세	11	5.8
	만 50세~59세	5	2.6
거주지역	서울	61	32.1
	인천/경기	58	30.5
	충청권(대전/세종 포함)	7	3.7
	경상권(대구/부산/울산 포함)	14	7.4
	전라권(광주 포함)	46	24.2
	강원권	4	2.1
직업	문화예술	64	33.7
	사무/관리	21	11.1
	자영업	2	1.1
	교육/서비스업	16	8.4
	기능 노무	2	1.1
	학생	66	34.7
	전업주부	3	1.6
	기타	16	8.4
문학 분야 창작자 여부	예	44	23.2
	아니오	146	76.8
전체		190	100.0

2) 응답자 중 문학 창작자의 일반 특성 및 낭독 경험

다음으로 응답자 중 문학 분야 창작자의 창작 관련 일반적 사항에 관해 질문한 결과는 [표 10]와 같다. 세부 문학 분야를 살펴보면 시(시조)가 72.7%로 가장 높게 나타났고, 소설이 9.1%, 시나리오가 6.8%, 희곡이 4.5%이었다. 수필과 동화, 평론은 응답자 수가 적어 6.9%로 통합하여 분석하였다. 작품 활동을 시작하게 된 경로는 출판사 주관 문학상 수상과 신춘문예 및 기타 공모전 수상이 27.3%로 같았으며, 문예지·웹진·공동저서 등을 통한 작품 발표가 20.5%, 개인 단행본 출간이 18.2%, 기타 6.8% 순이었다. 작품 활동 경력은 2년 이상~5년 이하가 가장 많은 56.8%, 6년 이상~10년 이하가 두 번째로 높은 20.5%, 1년 이하 경력이 13.6%였으며, 11년 이상~20년 이하가 4.5%, 20년 초과가 4.5%로 같았다. 단행본 출간 여부를 묻는 문항에서는 1권 이상 출간했다고 응답한 비율이 52.3%, 출간하지 않았다고 응답한 비율은 47.7%로 비슷하게 나타났다.

이어서 창작자의 지난 1년간 낭독회의 낭독자로 참가한 경험에 관해서도 질문하였는데, 참가한 적 없다고 응답한 창작자가 가장 높은 45.5%이었고, 다음으로 2~3회 참여 경험이 20.5%, 1회 참여 경험은 15.9%, 4~5회가 9.1%, 6회가 9.1%인 것으로 나타났다. 향후 낭독회에 참여할 의향이 있는지 묻는 문항에서는 매우 참여하고 싶다는 의견이 54.5%, 참여하고 싶다는 의견 20.5%, 보통이라는 의견 18.2%, 참여하고 싶지 않다는 의견 4.5%, 전혀 참여하고 싶지 않다는 의견 2.3% 순이었다. 한편, 낭독 행사의 낭독자로 참여하여 지급받은 사례비는 평균 115,000원이었던 반면, 낭독 참여에 대한 적정 사례비를 묻는 질문에서는 평균 161,705원으로 나타나 실제 사례비와 적정 사례비에 46,705원의 차이가 있는 것으로 분석되었다.

[표 10] 응답자 중 문학 분야 창작자의 일반적 사항

		빈도	퍼센트
세부 문학 분야	시(시조)	32	72.7
	소설	4	9.1
	수필·동화·평론	3	6.9
	희곡	2	4.5
	시나리오	3	6.8
작품 활동 시작 경로	출판사 주관 문학상 수상	12	27.3
	신춘문예 및 기타 공모전 수상	12	27.3
	문예지, 웹진, 공동저서 등을 통한 작품 발표	9	20.5
	개인 단행본 출간	8	18.2
	기타	3	6.8
작품 활동 경력	1년 이하	6	13.6
	2년 이상~5년 이하	25	56.8
	6년 이상~10년 이하	9	20.5
	11년 이상~20년 이하	2	4.5
	20년 초과	2	4.5
단행본 출간 여부	출간	23	52.3
	미출간	21	47.7
지난 1년간 낭독 행사의 낭독자 참여 경험	없음	20	45.5
	1회	7	15.9
	2~3회	9	20.5
	4~5회	4	9.1
	6회	4	9.1
향후 낭독 행사의 낭독자 참여 의향	전혀 참여하고 싶지 않다	1	2.3
	참여하고 싶지 않다	2	4.5
	보통이다	8	18.2
	참여하고 싶다	9	20.5
	매우 참여하고 싶다	24	54.5
	점수	**4.20 / 5.0**	

		빈도	퍼센트
낭독 사례비	낭독 참여 평균 사례비	115,000원	
	낭독 참여 적정 사례비	161,705원	
전체		44	100.0

창작자를 대상으로 낭독 행사의 주최 및 성격에 대해 질문한 결과는 다음 [표 11]과 같다. 먼저, 낭독 행사의 주최에 대해 살펴보면 협회 및 단체가 36.2%로 가장 많았고, 개인 및 동호회가 17.0%, 출판사가 12.8%, 서점이 12.8%, 도서관이 10.6%, 기타가 6.4%, 학교가 4.3% 순으로 나타났다. 낭독 행사의 성격에 대해서는 장르 간 복합 등 예술적 목적이 29.6%로 가장 많았고, 공동체 교류 목적이 25.9%, 사회 참여 목적이 18.5%, 홍보 및 마케팅 목적이 13.0%, 교육 목적이 11.1%, 기타가 1.9% 순으로 나타났다.

[표 11] 낭독 행사 주최 및 성격

(*=다중응답)

		빈도	퍼센트
낭독 행사 주최*	출판사	6	12.8%
	서점	6	12.8%
	도서관	5	10.6%
	학교	2	4.3%
	협회 및 단체	17	36.2%
	개인 및 동호회	8	17.0%
	기타	3	6.4%
낭독 행사 성격*	홍보 및 마케팅 목적	7	13.0%
	사회 참여 목적	10	18.5%
	장르 간 복합 등 예술적 목적	16	29.6%
	공동체 교류 목적	14	25.9%
	교육 목적	6	11.1%
	기타	1	1.9%

3) 응답자의 낭독 행사 관객 참여 경험

다음으로, 낭독 행사 관객 참여 경험의 결과는 [표 12]와 같다. 지난 1년간 낭독 행사의 관객 참가 여부에 대해 살펴보면 참여한 적 있는 응답자가 54.7%, 참여한 적 없는 응답자가 45.3%로 나타났으며, 지난 1년간 오프라인 낭독 행사 관람 횟수는 2~3회가 37.5%, 1회가 33.7%, 6회 이상이 15.4%, 4~5회 11.5%, 참여 경험 없음이 1.9% 순으로 나타났다. 또한 지난 1년간 온라인 낭독 행사 관람 횟수로는 온라인으로 참여한 경험이 없는 응답자가 52.9%로 과반수였으며, 1회가 24.0%, 2~3회가 15.4%, 4~5회가 5.8%, 6회 이상이 1.9%이었다.

한편, 관객으로 참여한 낭독 행사의 주최는 서점이 31.6%로 가장 많았고, 두 번째로 출판사가 21.4%, 협회 및 단체가 15.8%, 개인 및 동호회가 13.8%, 도서관이 7.7%, 학교가 7.1% 기타가 2.6%를 차지했다. 관객 참여 낭독 행사의 성격에 대해 살펴보면 장르 간 복합 등 예술적 목적이 30.3%, 홍보 및 마케팅 목적이 26.8%, 공동체 교류 목적이 23.7%, 교육 목적이 9.6%, 사회 참여 목적 7.1%, 기타 2.5% 순으로 나타났다. 낭독 행사에 향후 관객으로 참여할 의향이 있는지 질문한 문항에는 매우 참여하고 싶다는 의견이 40.5%, 참여하고 싶다는 의견 35.8%, 보통이라는 의견 16.3%, 참여하고 싶지 않다는 의견 5.8%, 전혀 참여하고 싶지 않다는 의견 1.6% 순으로 나타났다.

[표 12] 낭독 행사의 관객 참여 경험

(*=다중응답)

		빈도	퍼센트
지난 1년간 낭독회 관객 참여 여부	예	104	54.7
	아니오	86	45.3
지난 1년간 오프라인 낭독 행사 관람 횟수	1회	35	33.7
	2~3회	39	37.5
	4~5회	12	11.5
	6회 이상	16	15.4
	0회	2	1.9
지난 1년간 온라인 낭독 행사 관람 횟수	1회	25	24.0
	2~3회	16	15.4
	4~5회	6	5.8
	6회 이상	2	1.9
	0회	55	52.9
관객 참여 낭독 행사의 주최*	출판사	42	21.4%
	서점	62	31.6%
	도서관	15	7.7%
	학교	14	7.1%
	협회 및 단체	31	15.8%
	개인 및 동호회	27	13.8%
	기타	5	2.6%
관객 참여 낭독 행사의 성격*	홍보 및 마케팅 목적	53	26.8%
	사회 참여 목적	14	7.1%
	장르간 복합 등 예술적 목적	60	30.3%
	공동체 교류 목적	47	23.7%
	교육 목적	19	9.6%
	기타	5	2.5%
향후 낭독 행사의 관객 참여 의향	전혀 참여하고 싶지 않다	3	1.6
	참여하고 싶지 않다	11	5.8
	보통이다	31	16.3
	참여하고 싶다	68	35.8
	매우 참여하고 싶다	77	40.5
	점수	**4.08 / 5.0**	
전체		190	100.0

4) 시 낭독의 예술적 가치 평가

시 낭독의 예술적 가치와 관련한 문항들의 결과는 아래 [표 13]과 같다. 이를 살펴보면 시인의 시 낭독에 대해 예술 활동으로 인식하는지 대해서는 매우 그렇다는 인식이 47.9%, 그렇다는 인식이 36.8%, 모르겠다는 인식 12.6%, 그렇지 않다는 인식이 2.6%를 기록했으며, 전혀 그렇지 않다는 응답은 없었다. 이를 5점 척도로 환산하면 4.30점으로 나타났으며, 시 낭독이 시인의 예술 활동이라는 인식이 높은 것으로 해석되었다. 시 낭독을 예술활동증명 실적으로 인정해야 하는지 필요성을 질문한 문항에서는 필요하다는 의견이 36.8%로 높았고, 매우 필요하다는 의견 34.2%, 보통이라는 의견 21.1%, 필요하지 않다는 5.3%, 전혀 필요하지 않다는 2.6%였다. 5점 척도에서는 평균 3.95점이었으며, 시 낭독이 예술 활동이고 인식하는 데 비해 이를 공식적인 예술 활동으로 인정해야 하는 필요성은 다소 낮다는 것을 확인할 수 있었다.

아울러, 시 낭독이 작가의 의도와 감정 전달 방법으로 적절한지를 묻는 문항에서는 매우 그렇다는 의견 45.8%, 그렇다는 의견 35.3%, 보통이라는 의견이 13.7%, 그렇지 않다는 의견 3.2%, 전혀 그렇지 않다는 의견이 2.1%로 나타났고, 시 문학 작품을 어떤 방식으로 감상하는 것을 선호하는지 질문하는 문항에서는 텍스트 묵독이 40.0%, 낭독 현장 공연 감상이 33.3%, 음원·영상 콘텐츠 감상이 26.7%를 차지했다. 응답자가 생각하는 시 낭독의 중요 요소로는 낭독자와의 상호작용이 38.4%, 감정의 전달이 29.5%, 다른 관객과 작품 향유의 경험 공유가 23.2%, 무대 효과 등 환경적 요소가 7.4%로 나타났다.

[표 13] 낭독의 예술적 가치 평가

(*=다중응답)

		빈도	퍼센트
시인의 낭독에 대한 예술 활동 인식	전혀 그렇지 않다	0	0
	그렇지 않다	5	2.6
	모르겠다	24	12.6
	그렇다	70	36.8
	매우 그렇다	91	47.9
	점수	**4.30 / 5.0**	
시 낭독의 예술활동증명 실적 인정 필요성	전혀 필요하지 않다	5	2.6
	필요하지 않다	10	5.3
	보통이다	40	21.1
	필요하다	70	36.8
	매우 필요하다	65	34.2
	점수	**3.95 / 5.0**	
시 낭독을 통한 작가의 의도와 감정 전달 적절성	전혀 그렇지 않다	4	2.1
	그렇지 않다	6	3.2
	모르겠다	26	13.7
	그렇다	67	35.3
	매우 그렇다	87	45.8
	점수	**4.19 / 5.0**	
시 작품 감상의 선호 방식*	텍스트 묵독	190	40.0%
	낭독 현장 공연 감상	158	33.3%
	음원·영상 콘텐츠 감상	127	26.7%
시 낭독의 중요 요소	감정의 전달	56	29.5
	낭독자와의 상호작용	73	38.4
	다른 관객과 작품 향유의 경험 공유	44	23.2
	무대 효과 등 환경적 요소	14	7.4
	기타	3	1.6
전체		190	100.0

5) 낭독 행사의 구성 요소

다음 [표 14]는 낭독 행사의 구성 요소와 관련한 인식 결과이다. 먼저, 독자들이 낭독 행사에 관객으로 참여할 때 중요하게 여기는 요소에 대해 살펴보면 낭독자의 발음과 목소리, 감정의 전달 등 음성이 36.8%로 가장 높았다. 다음으로는 소리의 크기 및 배경음악 등 음향이 33.3%였으며, 작품 선정 및 소개가 30% 순으로 나타났다. 선호하는 낭독 공연 방식에 대해 살펴보면 낭독자의 작품 낭독과 관련 담화로 진행하되, 관객이 질문으로 소극적 참여하는 방식이 39.5%, 낭독자의 작품 낭독과 관련 담화와 함께 관객이 낭독과 질문으로 적극적 참여하는 방식이 26.3%, 낭독자의 작품 낭독과 관련 담화로만 진행하는 방식이 14.7%, 낭독자와 관객의 구분 없이 자유롭게 대화하는 방식이 11.1%, 낭독자의 작품 낭독으로만 진행하는 방식이 8.4% 순으로 나타났다. 또한 스크립트 및 대본의 필요성에 대해서는 필요한 편이라는 의견이 42.6%, 매우 필요하다는 의견이 35.3%, 보통이라는 의견 15.8%, 필요하지 않다는 응답 3.7%, 전혀 필요하지 않다는 응답 2.6% 순으로 나타났다.

[표 14] 낭독 행사의 환경 평가

(*=다중응답)

		빈도	퍼센트
낭독 행사 관람 시 중요 요소*	음성(낭독자의 발음, 목소리 톤, 연기, 감정의 전달 등)	190	36.8%
	음향(볼륨, 배경음악 등)	172	33.3%
	작품 선정 및 소개	155	30.0%

		빈도	퍼센트
낭독 행사의 선호 관람 방식	낭독자의 작품 낭독으로만 진행하는 방식	16	8.4
	낭독자의 작품 낭독과 관련 담화로만 진행하는 방식	28	14.7
	낭독자의 작품 낭독과 관련 담화로 진행하되, 관객이 질문으로 소극적 참여하는 방식	75	39.5
	낭독자의 작품 낭독과 관련 담화와 함께 관객이 낭독, 질문으로 적극적 참여하는 방식	50	26.3
	낭독자와 관객의 구분 없이 자유롭게 대화하는 방식	21	11.1
스크립트 및 대본 필요성	전혀 필요하지 않다	5	2.6
	필요하지 않다	7	3.7
	보통이다	30	15.8
	필요한 편이다	81	42.6
	매우 필요하다	67	35.3
	점수	**4.04 / 5.0**	
전체		190	100.0

6) 낭독 콘텐츠 이용 및 제작 요건

마지막으로 [표 15]는 낭독 콘텐츠 이용 현황 및 제작 요건에 대해 질문한 문항들의 결과이다. 낭독 콘텐츠 이용 경험에 대한 응답은 이용하지 않는다는 응답이 51.1%로 과반수였으며, 월 1회 34.7%, 주 1회 12.6%, 일 2회 이상 1.1%, 일 1회 0.5% 순으로 나타났다. 낭독 콘텐츠 이용 시 중요하게 여기는 사항에 대해서는 작가에 대한 관심도가 33.2%로 가장 높았고, 낭독 작품의 수준이 29.5%로 근소한 차이로 두 번째를 차지했다. 다음으로는 낭독 청취 매체의 편리성이 19.5%, 낭독자의 낭독 전문성이 14.7%, 낭독 콘텐츠 가격이 2.6%, 기타가 0.5%로 나타났다. 향후 낭독 콘텐츠를 이용할 의향이 있는지를 파악한 결과로는 그렇다는 응답이 36.3%, 모르겠다는 응답 33.7%, 매우 그렇다는 응답 21.6%, 그렇지 않다는 응답 5.3%, 전혀 그렇지 않다는 응답 3.2% 순으로 나타났다. 5점 척도로 환산 시 3.68점으로, 이용 의향은 다소 낮은 편으로 나타났다.

[표 15] 낭독 콘텐츠 제작 요건

<table>
<tr><th colspan="2"></th><th>빈도</th><th>퍼센트</th></tr>
<tr><td rowspan="5">낭독 콘텐츠 이용 경험</td><td>이용하지 않음</td><td>97</td><td>51.1</td></tr>
<tr><td>월 1회</td><td>66</td><td>34.7</td></tr>
<tr><td>주 1회</td><td>24</td><td>12.6</td></tr>
<tr><td>일 1회</td><td>1</td><td>0.5</td></tr>
<tr><td>일 2회 이상</td><td>2</td><td>1.1</td></tr>
<tr><td rowspan="6">낭독 콘텐츠 이용 시 중요 요소</td><td>낭독자의 낭독 전문성</td><td>28</td><td>14.7</td></tr>
<tr><td>낭독 작품의 수준</td><td>56</td><td>29.5</td></tr>
<tr><td>낭독 청취 매체의 편리성</td><td>37</td><td>19.5</td></tr>
<tr><td>작가에 대한 관심도</td><td>63</td><td>33.2</td></tr>
<tr><td>낭독 콘텐츠 가격</td><td>5</td><td>2.6</td></tr>
<tr><td>기타</td><td>1</td><td>0.5</td></tr>
<tr><td rowspan="6">향후 낭독 콘텐츠 이용 의향</td><td>전혀 그렇지 않다</td><td>6</td><td>3.2</td></tr>
<tr><td>그렇지 않다</td><td>10</td><td>5.3</td></tr>
<tr><td>모르겠다</td><td>64</td><td>33.7</td></tr>
<tr><td>그렇다</td><td>69</td><td>36.3</td></tr>
<tr><td>매우 그렇다</td><td>41</td><td>21.6</td></tr>
<tr><td>점수</td><td colspan="2">3.68 / 5.0</td></tr>
<tr><td colspan="2">전체</td><td>190</td><td>100.0</td></tr>
</table>

시 낭독의 예술적 가치 연구 1. 연구 소개 2. 자료 조사 3. 인식 조사 **4. 전문가 자문** 5. 창작자 면접 조사 6. 기획자 면접 조사 7. 시범 공연 결과 8. 결론 및 제언

4. 전문가 자문

인식 조사를 실행하기 전후로 공통점 연구모임은 각각 시인과 문학평론가로 10년 이상 활동하며 문학 분야와 관련한 연구를 수행하고 있는 전문가인 신용목 시인과 양경언 평론가에게 연구 계획과 인식 조사 내용 등을 자문했다. 인식 조사의 설문 문항과 관련하여 보완해야 할 지점, 구체화하거나 추가해야 할 문항 내용 등의 조언을 구할 수 있었으며, 이 밖에도 연구 내용에 대한 세심한 분석과 의견, 그리고 격려를 받을 수 있었다. 전문가 2인 모두 본 연구의 필요성과 연구 목표 등에 공감하며 문단에서 이러한 담론이 확장될 수 있기를 기대했다. 양경언 평론가와의 자문 회의는 연구모임 구성원 3인이 모두 참여한 가운데 약 2시간에 걸쳐 비대면 화상 대화로 진행하였으며, 신용목 시인에게는 서면으로 질의 내용과 연구의 상세한 내용 및 계획을 전달하여 연구 의견서를 회신받을 수 있었다. 본 장에서는 자문 질의별 답변 형식으로 정리하였다.

일시: 2023년 7월 15일 오전 10시 | 비대면
인원: 공통점(신혜아림, 조온윤, 윤소현), 신용목, 양경언

Q. 먼저 본 연구에 대한 의견을 말씀해 주실 수 있을까요?

신용목(이하 '용목'): 언어가 의미를 전달하는 기능뿐 아니라 어떤 행위를 이행한다(존 랭쇼 오스틴)는 점에서 그 수

행적 기능은 이제 읽는 순간, 또는 낭독하는 과정에 대한 더 긴밀한 이해를 요구받고 있습니다. 즉, "수행성은 사물을 규명하거나 규정하는 것이 아니라 세계 속에 존재를 연속적으로 출현시킨다"는 말처럼, 시는 이해의 장르가 아니라 느낌의 장르이며, 그것은 독서되고 발화되는 '순간'을 우리에게 끝없이 선사합니다. 때문에, 공통점의 이번 과제는 현시점에서 우리 문학의 장이 치러내야 할 중요한 작업 가운데 하나라고 확신합니다. 시 낭독은 시를 텍스트의 자리에서 현장으로 옮겨놓는 것이면서, 창작자와 향유자를 수직적 서열화에서 수평적 네트워크화시키는 과정이고, 그로부터 등단과 비등단, 시인과 독자의 구분을 점진적으로 무화시키고, 문학장 전체를 수행적 과정으로 위치시키는 숨은 역할을 하고 있다고 여겨지기 때문입니다. 낭독회의 수행적 기능은 시를 낭만화하고 신비화했던 데 대한 반작용이자 문학의 자율성이 가진 문제점을 극복하는 실천적 차원의 작은 단계일 수도 있을 것입니다. 그것은 관념적으로 존재했던 창작자에게 실체를 부여하고 텍스트를 현장(장소성)으로 이끌어냄으로써 향유자(독자)와의 네트워크를 가능하게 만들기 때문입니다.

Q. 지난 몇 년간 304 낭독회를 비롯하여 여러 낭독회에 참여하면서 다양한 시인의 낭독 활동을 현장에서 보셨으리라 생각합니다. 현장의 시인들은 스스로의 낭독 행위를 예술 활동이라 인식하고 있던가요?

양경언(이하 '경언'): 여러 낭독회를 경험하면서 몇몇 시인은 낭독을 독자적인 활동으로 인식하고 있다는 생각이 들었어요. 일례로, 시인 A는 자신의 시를 예상치 못한 리듬과 호흡으로 낭독합니다. 시 속에서 서사성을 읽어 내려는 사람들은 시를 이야기처럼 읽을 거라 예상하는데, 그것을 뒤엎고 단어 하나하나 힘을 줘 오랜 시간 낭독을 하는 편이었어요. 이 덕분에 독자가 묵독으로 읽었을 때보다 감각이 환기되면서 시 자체가 다른 감각을 만드는 상황이 형성되었고요. 묵독에 비해 다른 경험을 갖게 된다는 인상을 받았습니다. 그런가 하면 시인 B는 각주와 괄호 등 시 텍스트를 구성하는 다양한 요소를 작품에 잘 활용하는 편이에요. 그렇기에 어떤 자리에서 언제 읽느냐에 따라 구성하는 방식을 다양하게 배열하며 낭독 환경에서의 또 다른 작품을 만든다는 느낌을 받게 돼요. 재조립하는 방식의 낭독이라고 할 수 있죠. 이로 낭독 자체가 독자적인 예술 활동으로 자리 잡게 된다고 봐요. 낭독을 독자적인 예술 활동으로 보는 시인도 있고 그렇지 않은 시인도 있을 거예요. 후자와 같이 출간 시집을 알리고 공유하는 차원에서 그저 읽기만 하는 경우도 있겠죠. 식민지 시대에도 김기림 시인을 비롯하여 대중을 교화하고 선동할 목적으로 메시지를 언급하기 위한 낭독이 있었어요. 2009년 용산 참사 이후 6·9 작가 선언이 있었고, 그 후로 정치적인 의미를 가진 낭독이 늘어났습니다. 최근에도 304 낭독회, 10·29 참사와 관련한 낭독회, 최근 서울 을지로 OB베어 주점과 같이 역사적으로 가치 있으나 거대 자본에 사라지는 장소에서 진행하는 낭독회 등이 있었어요. 이처럼 사회적 장소, 시간으로 읽히는 작품으로서의 글은 일반적인 묵독과는 다른 격을 만들 수 있을 거예요.

Q. 말씀을 듣다 보니 시인이 낭독의 초점을 예술 활동에 두기보다는 사회적 참여 수단의 성격이 크다는 생각이 들어요. 이에 대해서는 어떻게 생각하시나요?

경언: 그 색채가 확실히 있는 것 같아요. 한 단계 물러나서 생각해 본다면, 선배 작가들의 영향 관계 속에서 작품을 쓰고 독자를 생각하는 등으로 누군가와 함께한다는 생각을 가지고 창작을 하지만, 고독하게 감당해야 하는 시간도 분명히 있죠. 그러나 낭독 활동을 했을 때는 실질적으로 나만이 쓰고 있다는 것이 아니라 다른 사람의 목소리를 내가 듣고 나의 목소리를 다른 사람도 듣는다는 실제적인 감각이 생겨요. 이를 위해 낭독 활동에 참여하는 것이 아닌가 합니다. 낭독은 문학에서의 소통 역할을 하고, 메시지를 주고받으며 사회 참여적인 성격을 가지는 것이 아닌가 해요. 최근에는 다른 재미난 시도도 보여요. 기후 위기에 대한 문제의식을 가지고 버려지는 쓰레기를 재조립하는 낭독회가 있어요. 함께 쓰고 읽고 나누는, 소통의 구체적인 활동이라고 생각해요. 제가 기획에 참여한 304 낭독회도 어떤 사회적인 메시지를 타진하려 기획하기도 했지만, 자신만 슬프고 자신만 고민하는 것이 아니라는 것을 다시 확인하는 자리이기도 해요. 그것을 확인하기 위해 낭독회에 온다는 생각이 들어요. 동료를 확인하고 같이 언어를 만들어가는 감각이 낭독회 자리에 있어요.

Q. 시라는 장르 자체를 향유하는 독자층이 좁다 보니 낭독회에 오는 독자는 그보다도 더 축소판이지 않을까 하는 생각이 들기도 했어요. 공동체 의식을 나누기 위한 여러 낭독회를 기획하고 참여하면서 독자층이 다양하게 확장되기도 했나요?

경언: 어떤 작가가 낭독회를 하면 그 작가의 작품을 모두 따라 읽은 독자가 올 거라 생각하지만, 실은 작품을 읽지 않고 작가를 알지 못하지만 일단 오는 분들도 많아요. 동네 책방에서 하는 낭독회가 최근 늘었는데, 동네 책방 낭독회는 그 책방을 평소 자주 드나들던 주민이 주로 참여하는 편이에요. 관심 없이 왔다가 몰랐던 작품과 작가를 알게 되어 엉뚱하지만 새로운 질문을 해보는 독자도 있고요. 인상 깊었던 낭독회 중 하나는 시인 C의 제주 낭독회였어요. 제주도 여행객들이 바닷가 근처 서점에 와보았다가 시에 관한 이야기를 품고 간다는 게 재밌었어요. 가령 전국적으로 큰 규모인 서울국제도서전이나 서울국제작가축제 등의 행사에서는 작가라면 책의 중요한 가치를 알고 믿음직한 이야기를 할 거라 기대하는 사람들이 올 거라고 생각하지만, 어떤 사전 정보도 없는 다양한 세대의 관객도 많아요. 그런 분들이 던지는 질문은 엉뚱하지만 오히려 핵심이 되는 질문일 때도 많고요. 예상 불가능하게 불특정한 다수가 모여 새로운 의미를 수행적으로 만들어가는 것이 낭독 행사의 특징인 것 같아요. 이렇게 낭독 현장에서는 흔히 '타자'라고 불릴 수 있을 이질적인 사람들과 이질적인 생각들을 맞부딪히며 수행적 역할을 하는 상황이 생겨요. 이는 해외 작가의 낭독 행사에서도 왕왕

일어나는 일이고요.

Q. 낭독회가 여러 유형을 지닌 독자 간에 거리를 키울 수도 있지 않을까 하는 생각도 들었어요. 낭독 행사로 인해 시 문화가 더 폐쇄적으로 변질될 수도 있지는 않을까 싶어요.

경언: 어떤 플랫폼이냐에 따라서 사례가 달라요. 요즘은 출판사 채널을 통해 라이브 방송으로 진행하는 낭독회가 늘고 있어요. 팔로워가 많아 더 많은 불특정 다수에게 열린다는 장점이 있겠지만 해당 SNS에 접속할 수 있는 사람에게만 열린다는 한계가 있기도 하죠. 플랫폼 성격에 따라 대상이 다르다면 플랫폼을 다각화하면 폐쇄적으로만 움직이지는 않게 되지 않을까 싶어요. 낭독회 현장에서 질문을 주고받으며 관객 사이에 독서 경험의 차이가 확연히 드러날 수도 있어요. 그러나 그 차이를 확연히 아는 것이 중요해요. 작가에 대해 당연히 안다고 생각한 정보가 다른 사람에게는 아닐 수도 있고, 몰랐던 지점을 새롭게 배울 수도 있으니까요. 이 덕분에 낭독회가 의미를 생성하는 출발지가 된다고 생각해요. 낭독회의 진행 방식에도 영향을 많이 받을 거고요. 304 낭독회를 사례로, 그곳은 세대를 막론하고 모이는 자리예요. 한번은 40대 인디 가수가 노래를 부르고 80대 소설가가 낭독으로 참여한 적이 있어요. 다른 분야 다른 세대에 속해 절대 만나지 않았을 것 같은 두 사람이 낭독회라는 한자리에 있을 수 있다는 점이 재밌었어요. 이 낭독회는 내년이면 10주년을 맞이할 정도로 오래 진행되고 있어서 중학생으로 처음 참여해

세월호 참사를 얘기하던 친구가 20대가 되어 10·29 참사를 겪고서 이야기하기도 했어요. 평소 교류하기 어려운 사람이 엮이는 열린 가능성의 자리라고 생각합니다.

Q. 작가 입장에서 낭독 행사가 시인의 공식적인 예술 활동으로 인정받을 수 있을지도 의견을 여쭙고 싶어요. 시 낭독이 사회적으로 예술 활동이라고 인정받으려면 필요한 요건이 있을까요?

경언: 공통점의 이번 연구에 그런 내용이 있어 반갑고 좋았어요. 그런 인정이 필요하겠더라고요. 해외의 경우를 보면, 성폭력 경험 말하기 대회나 인종 갈등과 정체성 등의 고민을 낭독하는 '스포큰 워드(Spoken word)'가 퍼포먼스의 자리로 역할을 하고 있어요. 한국에서도 한국만의 정체성과 한글 시의 운율 감각으로 그런 자리를 만들 수 있을 것이라 생각해요. 낭독이 단순 책을 홍보하는 역할에서 그치는 것이 아니라 그 자리에서만 얻을 수 있는 어떤 예술적 성의를 띠게 되면 예술성을 증명하기에 좋을 것이라고 여깁니다. 예로 들어 기획 의도라거나 준비의 성의 등에서 말이에요. 그러려면 텍스트를 인쇄물로 제작하거나 장소를 대관하는 등 행사를 이끌어나가는 데에 금전적인 지원이 필요하지 않을까 싶어요. 전반적인 출판 문화에 대한 지원과 더불어 이런 지원도 진행되면 좋겠어요. 낭독자들도 보수를 받는다면 책임 의식을 가지고 책을 기획하듯 낭독 행사를 기획하게 될 거고요. 무료 플랫폼을 활용하는 방안도 있겠지만 안정적으로 낭독 문화가 자리하려면

큰 규모의 플랫폼이 개발되는 등의 큰 지원이 필요해요. 최근에 AI로 기존의 많은 사람의 목소리를 담아내 평균치의 듣기 좋은 목소리를 만들어내는 기술이 있어요. 그러나 이는 자신만의 고유한 목소리라고 말할 수 없어요. 자기의 목소리로 낭독을 하는 행위는 인간인 예술가들이 할 수 있는 예술 행위로 자리할 수 있으리라 생각해요. 이런 인정이 하나의 응원이 될 수도 있을 거고요.

Q. 그렇다면 평론가의 입장에서 시 낭독 행위 자체가 비평의 대상이 될 수 있을 것이라 생각하시나요?

경언: 비평의 대상이 될 필요가 있다고 생각해서 몇 번 시도하기도 했어요. 저서 『안녕을 묻는 방식』에서 「눈먼 자들의 귀 열기」라고 304 낭독회의 낭독을 비평한 글이 있어요. 그중 장수진 배우님의 낭독에 "아"라는 탄식이 있었는데, 그 대사가 낭독 현장의 분위기와 잘 어울렸던 게 인상 깊어 비평으로 남겨야겠다는 생각이 들었거든요. 운율이나 리듬 등 시의 형식이 현대에 와서는 자유로워졌는데, 낭독을 비평한다면 자연적으로 소리의 영역인 리듬과 운율을 분석하게 되지 않을까 생각해요. 앙리 메쇼닉이라는 프랑스 이론가의 분석을 가져와 한국 시에서의 운율, 리듬에 대하여 이론적으로 연구를 축적할 필요성을 느끼기도 했어요. 현재 연구 중인 사례로 월간 《현대시》의 2022년 7월호에서, 한국시의 포에트리 슬램 현상에 대해 특집을 진행하기도 했고요. 비평 중에서도 용산 참사 이후 시와 정치의 관

계에 대한 논의도 진행 중이고, 진은영 선생님의 『문학의 아토포스』가 그런 논의이기도 해요. 문학과 장소에 관한 비평은 생겼지만 어떤 작품이 언제 읽히는가에 대한 연구도 발전할 가능성이 있어요.

Q. 그렇다면 작품 선별의 권한은 기획자와 창작자 중 어떤 이의 의도에 더 중점을 두어야 할까요?

경언: 낭독회의 성격에 따라 판단할 수 있는 사안인 것 같아요. 일례로 304 낭독회의 경우는 처음 섭외한 사람이 낭독 순서를 배치한다고 하더라도, 낭독자가 낭독 자리에서 추가적으로 자신이 원하는 글을 읽거나 말을 자유롭게 얹을 수 있도록 진행해요. 2014년 당시 정부는 경찰로 하여금 불시로 세월호 유가족을 검열하게 하는 등, 치안 자체가 말도 안 되는 환경이었어요. 그래서 누구나 세월호와 관련해서 발화할 수 있어야 한다는 점이 모두가 함께 공유하는 이슈였고, 참여 의사가 있는 누구나 원하는 글을 읽는 식으로 304 낭독회를 진행해 왔어요. 낭독은 늘 계획한 작품뿐만 아니라 새로운 낭독이 추가되기도 해요. 계획되지 않은 텍스트가 새롭게 쓰이기도 하고요. 낭독을 준비한 사람이 그 자리에서 하고 싶은 말을 하고 준비하고 싶은 바를 수행하는 방식으로요. 304 낭독회는 낭독자나 작품을 선별하지 않는 것이 원칙이에요.

Q. 본 연구와 관련한 낭독회를 준비하고 있습니다. 기획에 고려해야 할 사항이 있을까요?

경언: 그건 기획하는 사람의 자유예요. 좌석을 앞으로만 보게 하거나 관객끼리 마주하게 하는 등 배치에서도 자유를 둘 수 있고, 낭독 공연자와 관객 사이 무대의 높이를 설정하는 등 장소성에 따라 전혀 다른 분위기를 낼 수 있어요. 304 낭독회를 농성 중인 천막 속에서 진행한 적이 있어요. 천막 하나 안에 낭독자가 있고 다른 이들이 천막 주변을 빙 두르면서 수호하는 듯한 분위기가 생기기도 했어요. 그런 현장성에 따라 다른 분위기의 공연이 될 거라고 생각합니다.

Q. 감사합니다. 마지막으로 참고했으면 하는 내용이 있을까요?

용목: 이러한 수행적 과정은 독립서점이나 독립공간의 활성화에 힘입어 문학장의 본격적인 네트워크화를 이끌고 있다는 점에서 고무적입니다. 더불어 다음과 같은 가정도 가능할 것으로 보입니다. 시 전반에서 낭독회나 문학 행사 등의 수행적 과정이 중요시되는 것이 신자유주의의 고착화와 대안 부재의 상황을 타개하기 위한 미학적 모색일 수도 있을 것입니다. 말하자면, 네트워킹 강화를 통한 역사 복원의 과정으로도 해석 가능합니다. 마치 30여 년 전 반민주 자본 세력에 저항하는 방식으로, 노동자 문예운동을 벌일 당시 민중적 언어 또는 공동창작이 유행했던 것과 비교해서 상상해 볼 여지가 있기 때문입니다. 한편, 낭독회 등을 통한 네트워크화라는 수행적 과정과 그 사례를 이해하거나 공유하지 못한 이들에게는 시를 더 어렵게 느껴지게 만들 수도 있습니다. 꾸준히 그 과정을 공유한 독자들과

그렇지 않고 일상의 어느 순간 시집을 접한 독자들 사이의 낙차를 만듦으로써, 전체적으로 보았을 때는 시의 저변을 좁힐 여지가 있습니다. 실제로 최근 시를 둘러싼 기획은 왕성한 반면 완결된 텍스트로서의 기능은 상대적으로 축소되었기 때문입니다. (끝)

시 낭독의 예술적 가치 연구 1. 연구 소개 2. 자료 조사 3. 인식 조사 4. 전문가 자문 **5. 창작자 면접 조사** 6. 기획자 면접 조사 7. 시범 공연 결과 8. 결론 및 제언

5. 창작자 면접 조사

인식 조사 및 자문과 더불어, 공통점 연구모임은 낭독자 또는 낭독회 관객으로서 경험이 많은 시 분야 창작자를 대상으로 낭독 및 낭독회와 관련하여 상세한 의견을 들어보고자 했다. 이에 현재 시인으로서 시 창작과 더불어 낭독 활동에 활발히 참여하고 있는 시인 5인을 대상으로 창작자 면접 조사를 진행했다. 대상자는 창작 활동의 시작 경로 및 시집 출간 여부, 성별 등을 고려하여 균등하게 섭외하고자 하였으며, 그중 대면 모임이 가능한 4인과는 대면 면접 방식으로 진행하였고, 물리적 거리상 참여가 불가한 나머지 1인은 비대면으로 질문을 전달하고 의견을 받았다. 본 장에서는 가독의 편의를 위해 질문 및 답변을 모두 대담 형식으로 정리하였다.

일시: 2023년 8월 13일 오후 4시 | 장소: 연희문학창작촌
인원: 공통점(신혜아림, 조온윤, 윤소현), 김도경, 김보나, 김연덕, 이서영, 전욱진

Q. 시인님들 모두 낭독회에 관객 혹은 낭독자로서 참여하신 경험이 있을 것 같습니다. 먼저, 낭독회 참여 경험이 어느 정도인지, 그중에 기억에 남는 낭독회가 있는지 질문을 드립니다.

김연덕(이하 '연덕'): 대학생 때부터 낭독회에 자주 다녔어요. 한번은 재미공작소에서 주최한, 관객이 둘러앉은 모양으로 진행되는 낭독회에 간 적이 있어요. 낭독하는 시

인이 쉬는 시간에 잠시 나가셨길래 관객끼리 얘기하다가 시인 친구를 사귀기도 했고요. 좋아하는 시인들의 낭독회는 적극적으로 현장에 참석하는 편이에요. 시집을 읽는 것만으로도 좋지만 시가 좋으니까 목소리로도 듣고 싶어서 가보는 편이고요. 가장 기억에 남는 것은 제가 낭독자로 참여한 첫 낭독회예요. 첫 책이 나온 출판사 주관은 아니었고, 동료 시인과 친분이 있던 문학살롱 초고의 사장님이 그곳에서 행사를 열어줬어요. 낭독자로는 처음이라 기억에 많이 남아요. 낭독회를 해보고 싶다는 꿈이 컸거든요. 사람이 앉아서 시를 읽고 공간에 분위기가 모이는 게 아름다워서 제 시를 낭독하고 싶었고, 실제로 낭독하기 위해 시를 쓴 것도 있어요. 그리고 낭독을 하게 되었을 때 그 작품을 쓰던 순간들이 스쳐 지나가더라고요. 저와 안면이 없지만 책을 읽고 모인 사람들을 만나 즐거웠고요. 자세히 기억나지 않지만 그 공간과 분위기, 조명, 와주신 분들이 떠올라요. 그래서 저는 낭독회에서 조명처럼 환경적인 부분이 특히 중요하다고 생각해요.

이서영(이하 '서영'): 저는 오직 제 시를 낭독하기 위한 목적만으로 행사를 진행해 본 경험은 없어요. 문학 연계 행사, 강연 등에서 주최 측 요구로, 혹은 제가 읽고 싶어서 몇 편 정도 낭독했던 경우는 있지만요. 다른 작가들의 낭독을 듣기 위해 관객으로서 참여한 적은 꽤 많은 것 같아요. 인상 깊었던 낭독회로는 학교 앞에 있던 문학 서점인 검은책방흰책방에서 열렸던 모 시인의 낭독회가 기억나요. 다만 시인이 본인의 시를 낭독하신 게 아니라, 직접 번역하신 외국 시집을 읽는 행사였어요.

서로 돌아가며 마음에 드는 시를 읽는 시간도 있었고요. 또 국립아시아문화전당에서 진행되었던 아시아문학페스티벌에서 각국의 작가들이 모여 낭독을 진행했던 행사도 기억에 남습니다.

전욱진(이하 '욱진'): 저는 지난 6월에 동료 시인이 상주 작가로 일하는 서점에서 낭독회를 한 적이 있었는데, 객석이 분리된 게 아니라 모여 앉아서 진행하는 방식이 좋았어요. 독자는 가상으로 존재하는 것만 같은 사람들이었는데 실제로 만나 "너무 좋았다"라고 제게 말해주는 경험이 귀했고, 스스로 효용감이 느껴졌어요. '내가 쓰는 사람이고 나와 바깥이 연결되어 있었구나'라고 느끼기도 했고요. 저는 연덕 시인과 다르게 낭독회의 관객으로서는 많이 다니지 않았어요. (등단 이후에) 좋아하는 작가가 생기고 그들이 좋아서 가게 된 적은 있었지만, 등단 이전에는 낭독회라는 행사가 재미없게 느껴졌거든요. 낭독회에서 시를 듣는 것보다는 스스로 묵독하는 게 더 좋았어요. 시를 수용한다는 건 '나'가 중요한 거지 저자가 중요한 것은 아니니까요. 낭독회라는 것 자체가 진입장벽이 있는 것 같기도 해요. 저자와의 친분을 떠나 낭독이 주는 묘미가 있으니까 뭐라고 꼬집어 말하기엔 시간이 필요한데, 저에게는 최근에 낭독회에 다녀온 경험이 소중했어요.

Q. (이서영 시인께) 참여하신 낭독회의 진행 방식이나 전반적인 분위기는 어땠나요?

서영: 한 공간에서 진행되는 낭독회는 독특한 응집력이 있는

것 같아요. 스무 명 남짓한 인원이 모여 특정한 텍스트를 공유하고, 함께 읽는 행위가 특별하게 여겨지고요. 같은 시간, 같은 장소에 모인 인원이 동시다발적으로 하나의 텍스트를 공유하는 행위가 일종의 정치적 수행이 될 수 있을 것 같아요. 다만 이 정치성의 유효함에 대해서는 여러모로 고민이 되고요. 국립아시아문화전당 같은 대형 예술기관에서 진행되는 작가낭독은 관례적으로 느껴지기도 했는데, 특정한 형식을 갖춘 퍼포먼스처럼 보인다는 면에서는 좋았아요. 다만 여러 작가가 쏟아져나와 시를 읽는 행위가 지나치게 권위적으로 보이거나, 이도 저도 아닌 지루한 나열이 되지 않게끔 관객도 함께, 혹은 현장에서 즉흥적으로 즐길 수 있는 요소가 있으면 좋겠다는 생각이 들었어요.

Q. (전욱진 시인께) 최근에 참여하셨다는 낭독회는 참여하게 된 계기가 좋아하는 동료 작가들이 낭독회를 열어서인가요?

욱진: 네, 응원의 의미로요. 근데 그런 관계가 아니었다면 갔을까 자문했을 때 정말로 갔을지는 모르겠어요. 그 작가의 성향일 수 있는데, 깊은 속 얘기를 꺼내는 작가님도 있는 반면에 텍스트를 읽기만 하시고 거리감이 좁혀지지 않는 작가님도 계시더라고요.

Q. 그러면 다들 작가 본인에 대해 거리낌 없이 얘기해주는 작가와 낭독회 진행 방식을 더 선호하나요?

욱진: 네. 작품 밖의 얘기를 해주는 게 작품세계를 더 흥미롭

게 읽게 만들고, (낭독회에는) 그런 요소가 있어야 한다고 생각해요. 일반적인 밋밋한 낭독은 흥미롭지 않게 느껴져요.

김도경(이하 '도경'): 저도 낭독회를 (관객으로) 즐겨 가는 사람은 아니에요. 학교에서 수업 대체 특강이거나 친구를 따라서만 가본 적 있었어요. 그런데 어디 가까운 책방에서 했을 때는 종종 가본 적이 있어요. 그런데 뭔가 제가 느끼기에 미술관에 도슨트나 큐레이터가 된 기분이었어요. 내 작품을 이야기할 수 있는 큐레이터로서 "내 작품은 이렇게 만들었어" 하고 설명해 주는 것처럼요. 그런데 창작을 배우면 그렇잖아요. 작품에 관해 단정적으로 말하는 건 나쁘지만, 보여주는 것이 좋다고 여겨요. 그래도 저는 창작자가 직접적으로 말하는 것도 필요하다고 생각하고, 큐레이션이 필요하다고 생각해요. 그리고 낭독 자체를 콘텐츠화할 수도 있지 않을까 생각해요.

연희문학창작촌 미디어랩에서 진행된 시인들과의 면접 조사.

Q. 작가 본인의 작품 중을 본인이 선별해서 읽어주는 자리가 중요한 걸까요?

도경: (낭독회가) "나는 이 작품을 이렇게 썼어"라고 말하는 자리잖아요. 언어에 숨다 보면 의미가 전달되지 않거나 직역되지 않을 수 있지만 어떤 말은 대상자가 있는 경우에 정확하게 전달되었으면 하는 마음도 있어서, 말해주고 싶을 때 큐레이팅하듯 낭독하는 것도 좋을 것 같아요. 가장 기억에 남는 낭독회는 제가 참여한 낭독회가 가장 기억에 남아요. 몇 번 안 해봐서 모두 기억에 남는 것 같고. 공통점이 주관했던 낭독회와 청주 도서관에서 했던 낭독회 모두 대화하는 게 재밌었어요. 저는 작가들 낭독이나 강연을 찾아다니지 않는데, 누군가의 이야기가 궁금할 수도 있겠다는 생각도 드는 것 같아요.

김보나(이하 '보나'): 저는 낭독회라는 문화를 위트앤시니컬[1]에서 처음 접했어요. 저는 문예창작 전공이 아니라 사범대를 졸업하고 글을 쓰게 된 경우라서요. 서울시에서 주관한 행사로 위트앤시니컬에서 시인에게 매월 시집을 추천받고 한 달에 한 권 할인해 주는 기획이 있었어요. 저는 그런 행사에 혼자 가야 하는 게 민망해서 한두 번만 가봤는데, 가만히 있어도 누군가 시를 읽어주니 너무 재밌었어요. 한 시인의 첫 시집 낭독회에 간 적도 있는데, 그때 시인이 낭독회에서 자신의 시를 다 읽었어요. 두시간 가까이 한자리에 앉아서 오십몇 편

1) 혜화역 인근에 소재한 시집 전문 서점. 다양한 낭독회와 문학 행사를 기획 및 진행하고 있다.

의 시를 모두요. 중간에 시간이 길어지니까 음료를 나눠주기도 했고요. 그렇게 두 시간 넘게 모든 시를 들려주는 것이 인상 깊었어요. 또 첫 시집을 낸 시인의 행사라서 흥미가 가기도 했고요. 그리고 저는 304 낭독회처럼 모두가 시를 한 편씩 낭독하겠다는 마음으로 낭독회에 가는 게 좋아요. 읽는 사람과 듣는 사람이 나뉘면 너무 지루한 것 같기도 하고요.

Q. (김보나 시인께) 말씀해 주신 304 낭독회는 관객들이 모두 시를 한 편씩 읽는 방식으로 진행되나요?

보나: 꼭 그런 건 아니고, 시인이 관객에게 한 편씩 읽어달라고 한 번씩 요청하기도 해요. 그런 진행 방식도 좋은 것 같아요. 그리고 한 원로 시인의 낭독회도 공연처럼 꾸며져서 (함께한) 시인들이 돌아가며 한 편씩 읽으면서 거의 작품 전 편을 읽었는데, 그 낭독회도 좋았어요. 그리고 위트앤시니컬에서 열리는 낭독회가 좋았던 이유는 낭독회 가격이 5천 원이었는데 그 가격보다 더 챙겨주는 느낌이어서 좋았어요.

Q. 관객 참가비로는 어느 정도가 적정하다고 생각하나요?

보나: 1만 원은 넘지 않았으면 하고, 차 한 잔이나 간식 등 뭔가를 챙겨줬으면 해요. 카페나 서점에서 열리면 1만 원이 넘는 경우가 많았거든요.

연덕: 저도요. 한 책방에서 낭독회를 진행했을 때는 작가에게 돌아오는 사례비가 적었어요.

도경: 요즘 출판사에서 낭독회를 열 때는 독자를 대접하려고 하는 느낌도 있었던 것 같아요. 낭독회로 경제적인 이득을 얻겠다기보다는 도서를 홍보하고 독자와 저자를 이어주는 자리를 만드는 성격이 강한 것 같고요.

보나: 출판사에서 낭독회를 진행하면 무료인 경우도 있으니까 가게 된 적도 있어요.

Q. 낭독자로 참여한 낭독회에서 사례비는 얼마를 받으셨나요?

보나: 저는 딱 한 번 낭독자로 참여한 적이 있어서 말씀드리자면, 한겨레 아카데미에서 작년 신춘문예에 등단한 기념으로 낭독회를 진행했는데, 10만 원 안팎의 사례비를 받았던 적이 있어요.

연덕: 저는 기억이 약간 가물가물한데, 사례비가 다양했던 것 같아요. 무료로 진행했던 적도 있고, 10만 원에서 15만 원 정도 받기도 하고, 지원사업으로 진행된 낭독회에서는 20만 원에서 30만 원 사이로 받기도 했어요.

욱진: 저도 지원사업으로 기획된 행사에 참여해서 30만 원 정도를 받았어요.

Q. 어느 정도가 낭독 행사의 낭독 사례비로 적정한 금액이라고 생각하나요?

욱진: 금액은 상관없다는 주의이기는 한데, 이게 노동의 대가일 수도 있어서 최소 15만 원 이상은 되어야 하지 않는가 해요.

도경: 저는 10만 원이요. 단기 근로를 뛴다 이런 느낌이라서요.

연덕: 저는 15만 원에서 20만 원 혹은 그 이상이요. 낭독회 준비에 에너지를 많이 쓰는 편이거든요.

보나: 경우에 따라 다를 것 같기는 한데, 지방 서점에서 내 책을 위해 나를 섭외해줬다면 "감사합니다" 하고 그냥 갈 것 같기도 해요. 주최하는 곳의 사정을 봐서 결정할 것 같기도 하고요. 서울에서 하는 행사면 얼마이고 도서 산간 지역이면 몇만 원이 추가되고 이렇게 하는 것도 맞지 않는다고 생각해요. 저는 10만 원이 적정하다고 생각합니다.

서영: 아티스트 토크에 직접 쓴 시를 읽는 행위까지 그 현장에서만 즐길 수 있는 콘텐츠를 작가가 준비해서 제공하는 것인데, 그에 합당한 보수를 받아야 한다고 봐요.

Q. (김연덕 시인께) 무료로 진행하는 곳도 있었다고 말씀해 주셨는데, 사례비를 지급하지 않는 낭독회가 많은가요?

연덕: 적지 않은 것 같아요. 사례비가 적시되지 않으면 알아서 생각하게 돼요. '아, (사례비를) 안 주는구나.' 하고요. 문예지 정기구독권 같은 거로 대체하는 그런 경우도 있고요.

Q. 시인님들은 낭독자로 행사에 참여할 때 그 낭독회를 책을 판매하기 위한 마케팅으로 인식할까요? 예를 들면, 어떤 행사에 참여할 때 본인의 책을 홍보하러 가는 목적이 크다고 느끼시는지 궁금합니다.

연덕: 그런 생각도 있기는 하지만, 낭독회의 분위기 자체를

좋아하니까 (낭독회에 관객으로 참여하는) 사람들을 만나러 간다는 생각으로 가요.

욱진: 저는 독자를 만나고 싶다는 마음으로 가요. 실제로 내 책을 읽어주는 독자가 있구나, 느끼게 되는 자리라서 위안이 돼요.

Q. 그런 이유로 낭독회 사례비 같은 건 별로 신경을 쓰지 않는 건가요?

욱진: 네. 사례비가 특별히 명시되지 않거나 없더라도 관객을 만나기 위해 참여하는 편이에요.

도경: 독자를 만나는 자리가 궁금하고 고마우니까 보수에 대해서는 크게 생각을 안 할 것 같기는 해요. 행사를 마련해주는 것만으로도 품이 드는 일이라 생각하여 개의치 않는 편입니다. 애초에 그렇게 마음가짐을 하고 갈 것 같아요.

보나: 저는 아직 무료로 참여 요청을 받아본 적은 없지만, 일단 불러주신다면 많은 시인 중 저를 택해주셨다는 마음에 감사해서 가게 될 것 같아요. 혹시나 무료로 하게 되면 이상한 사람이 올까 걱정되는 것은 있어요. 시집을 읽지도 않고 와서 이상한 질문을 하게 되면 어쩌지, 노쇼(No-show)가 있으면 어쩌지 걱정되기도 해요.

Q. 혹시 낭독회 관객 때문에 불편했던 경험은 없었나요?

욱진: 여성 문인에게 그런 애로사항을 들었던 적이 있어요. 저는 아직 그런 경험은 없습니다.

연덕: 저는 작년에 제주에서 낭독회를 했는데, 방송 촬영이 랑 연계된 낭독회여서 상황이 특이했어요. 사례비도 못 받았고 책도 사서 책방에 보내고 오히려 제 돈을 썼어요. 교통비는 다행히 받았고요. 미리 관객 신청을 받은 게 아니라 (낭독회가 열리는) 카페에 방문한 사람 중 시간이 되면 보고 가고 하는 행사라서 제가 직접 홍보했던 게 기억나요. "안녕하세요. 저는 김연덕이라고 하는데요. 시간 되시면 낭독회 한 번……" 하고 직접 모객을 했어요. 방송국 측에서는 낭독회 장소로 해 질 무렵에 등대 있는 영상미 있는 곳을 골랐지만, 낭독회 환경은 실무와는 달랐고 제 책도 준비되지 않은 공간이었어요. 이미 참여하기로 한 상황에 취소할 수도 없고, 사비로 책을 구매해 제주로 보내고 직접 홍보하며 진행했던 기억이 나요. 기묘하긴 했지만 그래도 지금은 다행스러운 기억으로 남아 있어요. 제주에 계시는 친한 시인께서 사회를 봐주셔서 감사했어요.

Q. 생각해 보면 낭독회 문화라는 게 일정 수준으로는 맞추어져 있는 것 같아요. 시인분들께서 생각하는 낭독회 문화나 조건 같은 게 있나요?

연덕: 낭독회에서 읽을 책은 안 가져온 사람들이 있을 수 있으니 최소한 구매하도록 준비되었으면 해요. 모객 상황을 저자에게 전달해주는 것도 필수고요. 그리고 낭독자의 텍스트를 깊이 이해하고 있는 사회자도 반드시 필요한 것 같아요.

보나: 낭독회라는 것 자체가 신간 홍보 성격인 것 같기는 해

요. 구간 낭독회는 적긴 하니까요. 낭독회에서 사회자와 저자만이 알고 있는 이야기를 서로 나누면 관객들이 오히려 소외감을 느끼게 돼요. 관객들도 잘 아는 이야기면 괜찮지만요. 최근에 한 시인의 신간 시집이 나와 작은 책방에서 하는 낭독회에 갔었는데, 시인이 키링을 관객들에게 나눠주더라고요. 그리고 본인의 시를 한 세 편 정도 읽으시고 나머지는 관객에게 읽어달라고 했어요. 읽어주는 분들에겐 손수 만든 키링을 선택해서 가져갈 수 있는 우선권을 줬고요. 그리고 책의 글귀를 책갈피 같은 데에 인쇄해서 오늘의 운세처럼 뽑게 하는 이벤트도 재밌었어요. 책을 이미 읽고 왔는데도 구절로 다시 읽으니까 어떤 시인지 긴가민가했는데, 어떤 독자들은 어떤 구절인지 바로 알고 그 시를 읽기도 했어요. 그런 이벤트성 요소가 재밌었고, 사회자가 퀴즈를 내거나 몇 번째 시집일지 문제를 내는 것도 재밌었어요.

연희문학창작촌 미디어랩에서 진행된 시인들과의 면접 조사.

Q. 표준화된 낭독에서 벗어난 형식의 낭독회를 선호하는 걸까요?

보나: 보통 출판사가 낭독회 장소를 정해주면 시인이 가서 텍스트를 읽는 게 일반적인데. 그러지 않고 이렇게 이벤트성 요소를 넣는 게 좋게 느껴졌어요. 물론 관객들의 적극적인 참여가 필수적이겠지만요.

연덕: 제가 옥상 낭독회[2]를 기획해 오고 있는데, 지원을 받은 것도 아니고 저와 육호수, 박시하 시인 세 명이서 시를 읽었던 기억이 나요. 그건 관객과 시인의 수가 이 대 일 정도는 되어서 특이했어요. 오시면 시인 아홉 분의 낭독을 한 번에 들을 수 있고 옥상에서 진행되니 해가 지거나 하는 것도 달라 재미있어서 좋았고요.

보나: 야외에서 하는 것도 좋은 것 같아요.

연덕: 옥상 낭독회는 봄이나 가을에 주로 진행하고, 우천 시 대피할 수 있는 곳에서 돗자리를 깔고 열기도 했어요.

Q. 지금까지 참여해 본 낭독회의 관객 수는 어느 정도의 규모였는지도 궁금해요.

보나: 한겨레 아카데미에서 열었던 낭독회가 온라인 병행이라 총 관객까지는 모르겠어요. 현장에는 10명 정도는 되었고 오프라인을 합치면 약 30여 명이 되지 않을까 해요. 저는 마음이 반반인 게, 관객이 적은 걸 선호하다가도 행사는 사람이 많이 와야 좋으니까 고민이 되는 것 같아요.

2) 매년 김연덕, 박시하, 육호수 시인이 중심이 되어 비정기적으로 개최되는 낭독회. 낭독회 명칭처럼 옥상 공간에서 열리는 콘셉트로 꾸려진다.

서영: 저는 책방에서 열렸던 낭독회는 20명에서 30명 정도였고, 국립아시아문화전당에서 열렸던 낭독 행사는 50명 정도로 기억해요.

Q. 창작에 대비하여 낭독 활동 자체를 어느 정도 예술 활동이라 인식하나요?

서영: 특별히 의식해 본 적은 없는데, 작품을 새롭게 발원할 수 있는 하나의 퍼포먼스라고 생각해요. 낭독을 듣고자 요청하는 관객이 생긴다면 그때부터 예술 작업의 한 카테고리가 될 수 있을 것 같아요. 낭독 자체는 좋지만 (시인의 예술 활동으로) 필수적이진 않다고 생각하고요.

보나: 저는 퇴고도 읽어보면서 하는 스타일인데, 독자는 없지만 읽으며 낭독을 하는 것과 비슷하다고 생각해요. 어떤 시인은 목소리가 좋아서 모든 시가 좋게 느껴지는 것처럼, 낭독도 시와 떨어질 수 없는 일이라고 생각합니다. 해외 여성 시 읽기를 다른 모임으로 하고 있는데요. 혼자 읽으면 이해되지 않던 시도 스터디에서 다른 사람이 음성으로 읽으니 그때에서야 이해가 되는 순간이 있더라고요. 스스로 목소리가 마음에 들지 않아 낭독에 자신이 없지만, 사람들은 시를 듣는 게 편할 것 같아요. 시집을 읽지 않아도 이동 시간에 성우 등의 목소리로 들으면 좋으니까요. 또, 낭독 자체가 개인이 기획하고 운영하기엔 어려운 것 같아요. 시집이 없는데 인스타 라이브나 모객을 해서 진행하기는 어렵겠더라고요. 최근 친구가 첫 시집을 냈는데 출판사에서 낭

독회를 진행하지 않아 아쉬웠어요. 그래서 대안으로나 마 누워서 유튜브로 낭독회를 해볼까 하는 얘기를 나누기도 했어요. 시집에 따라 낭독을 기획하는 게 아니라 콘셉트에 맡게 낭독을 기획하고 고민하게 되어 재밌었습니다.

연덕: 저도 (창작과 낭독이) 연계된다고 생각해요. 저에겐 그런 욕심이 있어요. 낭독회에 온 사람들에게 기억에 남는 선물을 주고 싶은 마음이요. 텍스트를 실물로 만나는 자리이기도 하니까 텍스트와 유사한 오브제를 드리는 것을 좋아해요. 산문집 『액체 상태의 사랑』을 냈을 때는 일본에서 사온 라무네 사이다를 관객들에게 드리기도 했어요. 최근 행사에서는 사탕을 싸가서 드렸는데, 산문집 표지가 투명하고 파라니까 그런 색깔인 사탕을 모아서 포장해 드렸어요. 드리는 이유를 "고체에서 액체로 바뀌는 사물을 떠올리면 비누나 사탕이 좋은데, 그 변화하는 과정이 아름다운 사물인 것 같다"라고 설명했어요. 관객분들이 이런 선물을 받고 돌아가는 과정도 모두 텍스트를 대하는 과정이라고 생각하고 준비하게 됩니다.

Q. 시인들이 기획에 참여해서 행사 운영에 의견을 반영하는 게 중요하다고 느끼나요?

연덕: 그렇죠. 그런 기획을 좋아하는 것 같아요. 어렸을 때 플래너 같은 일을 하고 싶기도 했을 정도로요. 『액체 상태의 사랑』에 제 단골 가게들이 쭉 나오니까, 지원 사업으로 받은 비용 일부를 나눠 단골 카페나 음식점

에서 먹을 걸 포장해서 가져가 관객들에게 나눠주기도 했어요. 텍스트를 실물로 느끼게 하는 기획이었어요. 이런 기획도 예술 활동의 일부라고 생각하기에, 전에 나온 도경 시인의 큐레이팅 얘기도 공감했어요.

욱진: 최근에 가봤던 모 시인의 낭독회도 책 표지 색깔과 드레스 코드를 맞추더라고요. 이렇게 기획자 역량에 따라 낭독회 콘셉트가 달라지는 것 같아요. 개인의 성향 차가 있긴 하겠지만요. 연덕 시인 같은 아이디어가 없는 저로서는 나를 드러낸다는 자체가 좀 부끄러워요. 어떤 작품을 쓰는가에 차이가 있을 거고, 소리 내서 낭독하고 싶은 텍스트를 쓰려고 노력은 하지만 부끄러워요. 드러내고 싶으면서도 용기가 없어요. 그래서 반드시 낭독이 예술 활동의 일환으로서 요구되는 영역은 아니라고 생각해요.

도경: 글을 쓰는 것 자체도 예술이잖아요. 거기서 만약 낭독회를 공연이라고 했을 때 그건 선택 사항이라고 생각해요. 공연을 하는 건 확장하는 방향이지 선택할 수 있도록요. 쓰는 것만으로도 충분할 수 있지만, (낭독으로) 전달에 더 도움을 줄 수 있으니까요. 큐레이팅 자체가 시 창작과 비평의 사이 어느 지점에 속해, 낭독회가 예술 활동이 될 수 있다고 생각해요.

Q. 시인마다 시 낭독 스타일이 각자 다를 것 같은데, 그런 면모에 문학적 비평이 가능할까요? 텍스트 대상의 비평과 달리 낭독 자체의 퍼포먼스 요소나 발성 등 공연예술로서의 비평이 가능하다고 생각하시는지 궁금합니다.

서영: 가능하다고 생각해요. 몸짓으로서의 언어, 발성에 대한 비평이 더 다양해지면 재밌을 것 같아요. 생체학적인 정보를 기반으로 대상을 자유롭게 해석할 수 있는 글들이 더 많아지면 좋겠어요.

욱진: 저는 연덕 시인과 같은 기획성에 비평이 가능하다고 생각했는데요. (낭독회를 비평한다는 게) 공간이나 조명을 어떻게 꾸몄고 낭독자의 발성은 어떻고 등등 방대하여 어려울 것 같기도 하네요.

보나: 한국문학번역원에서 모 시인의 시를 리플릿으로 주고, 왼쪽 오른쪽에 원문과 번역문을 병기한 역시로 행사를 진행한 적이 있었어요. 이런 사례를 보면 비평이 가능하다고 생각됩니다. 리듬이나 억양, 시의 독특한 장치, 각주, 길이 등을 어떻게 읽는지의 문제가 있는데, 이게 모두 비평으로 가능하지 않을까요.

도경: 원래는 시극이었으니까 시를 읽는 것 자체가 비평의 여지가 있을 것 같아요. 우리가 통상적으로 아는 대로 단순 낭독만 하면 비평의 여지에 의문이 있겠지만요. 뭔가 포인트가 있어야 할 것 같아요. 비평의 여지가 있을 가능성. 미술 전시와 연계하거나 연극적 요소가 있거나 등으로 예술적 포인트가 없으면 비평이 아닌 단순 에세이나 칼럼처럼 읽힐 것 같기도 해요.

욱진: 어쨌든 비평도 평가일 테니까 그것이 텍스트 이외의 공연 예술인의 성격을 부과하게 되는 것 같아요. 저는 되게 기대가 되기도 해요. 텍스트 이상의 것을 보여주는 건 하나의 도전일 테니까요.

연덕: 공간이나 조명 등 얘기해주신 것에서 힌트를 얻었는

데, 공간성이 텍스트와 얼마나 어울렸는지가 포인트가 될 것 같아요. 첫 시집 행사를 했을 때, 문학살롱 초고 사장님과 저, 둘 다와 친한 친구가 낭독회 세팅을 도와줬어요. 본인이 만든 말린 장미 꽃잎 향수를 공간에 뿌려서 '재와 사랑'의 분위기를 만들어주더라고요. 또 낭독 행사장의 자리 배치도 중요해요. 시집의 구성이 흐트러진다면 자리를 흐트러뜨린다든지, 외부 소음 노출 정도를 정돈한다든지. 공간의 요소들이 텍스트에 얼마나 부합하는지를 비평할 수 있을 것 같아요. 예전에 위트앤시니컬에서 시인 여러 명이 낭독을 진행하거나 읽어야 할 시가 많을 때 중간중간에 음악을 틀어줬어요. 이게 연과 연 사이 공백처럼 하나의 요소가 되기도 하겠더라고요.

Q. 특별히 선호하는 낭독회 방식이 있나요?

서영: 저는 아티스트와 대화하는 시간 다음에 시를 몇 편 낭독하고, 그 자리에 있는 관객들도 돌아가며 낭독하는 전형적인 소규모 낭독회를 좋아해요.

연덕: 저도 전통적인 걸 좋아해요. 음악도 틀고 사회자와 토크도 하고 질의응답도 받다가 하는, 안정적인 포맷이요. 관객이 직접 참여하지 않더라도 공기가 모이는 분위기를 작가가 경험하는 것이 귀하다고 생각해요. 낭독하는 목소리에 관객이 집중하는 분위기가 비일상적이지만 감정이 오가고 있다는 게 느껴져서 좋았어요.

도경: 눈을 보면 이 사람들이 나를 어떻게 보고 있는지 느껴져요. 애정 어리게 본다든지 노려본다든지. 시선에서

사람들이 나를 집중하는 감정이 좋아요. 또 중간중간 침묵하거나 음악을 트는 등의 텀이 있는 걸 선호합니다. 이전에 문창인의 밤[3] 행사에서 선생님이 와서 "왜 시를 바로바로 읽냐, 좀 기다려주지"라고 피드백을 해 준 적이 있었어요. 이런 텀이 있어야겠더라고요.

육진: 텍스트의 신비로움을 깨주는 낭독이 좋아요. 이런 때에 이 시를 썼다든지. 최근 간 낭독회는 관객들이 읽고 싶은 시를 자원해서 읽는 시간이 있었어요. 오늘의 기분이나 있었던 일을 토로하면 그 사연에 맞는 시를 추천해 주기도 했어요. 이게 관객과 시인 사이 묘한 시너지가 나서 재밌었어요. 관객들이 낭독에 참여해서 지루하지도 않았어요.

도경: 낭독 자체가 공부하러, 시를 배우러 오는 분위기보다 현장을 체험하고 노는 분위기로 바뀌는 듯해요. 그렇기에 다양한 기획이 필요합니다.

보나: 저는 코로나19 이후로 SNS를 통한 온라인 낭독이 늘어나 좋았어요. 이동할 필요가 없고 다시 듣기도 가능하다는 게 장점이에요. 시인 입장에서는 독자를 보지 못해 아쉽지만, 독자 입장에서는 시공간의 제한이 없어 좋아요. 서점이나 카페 등에서 진행하면 휠체어 출입이 어렵거나 하는 제약이 있을 수밖에 없어요. 공간의 제약을 초월하는 온라인 낭독이 하나의 방안이라고 생각해요.

연덕: 실시간 채팅도 있으니까요.

3) 조선대학교 문예창작학과가 주최하여 매년 학회별로 학생들의 작품을 발표하는 교내 문학 행사.

보나: 네. 오히려 온라인에서는 얼굴이 보이지 않으니까 좋아하는 색깔이나 MBTI처럼 되게 사소한 것을 물어보기도 좋더라고요.

욱진: 저는 여기 와서 얘기를 나누며 낭독 환경을 조성하는 연출과 기획 측면에서 생각해 보게 되었어요. 이렇게 온라인으로 (낭독회를) 하게 되면 그런 전달이 힘들 거 같기도 하네요.

Q. 마지막으로, 시 낭독 콘텐츠를 이용한 경험이 있나요?

연덕: 네이버 오디오클립에서 좋아하는 시인이 시를 읽는 콘텐츠를 들은 적 있어요. 낭독도 좋았지만, 시인이 이 시를 선정한 이유나 해설이 좋아서 들었어요. 만약 이런 해설이 없었다면 듣지 않았을 것 같아요.

보나: 듣는 사람이 있고 듣지 않는 사람이 있을 텐데, 저는 사실 듣지 않는 편이에요.

도경: 애니메이션 같은 영상에 시를 입히는 콘텐츠도 있었던 것 같고, 그런 기획을 본 것도 같아요. 그런데 저는 찾아 듣지는 않는 편입니다.

욱진: 저도 적극적으로 소비하지는 않아요. (끝)

시 낭독의 예술적 가치 연구 1. 연구 소개 2. 자료 조사 3. 인식 조사 4. 전문가 자문 5. 창작자 면접 조사 **6. 기획자 면접 조사** 7. 시범 공연 결과 8. 결론 및 제언

6. 기획자 면접 조사

독서 공동체 랑랑은 매주 시 낭독회 소식을 카드뉴스 등의 콘텐츠로 제작해 누리소통망에 게시하고, 직접 낭독회를 기획하고 운영하는 단체이다. 구성원은 이책, 가지, 갈치, 심말 등 4인이다. 문학 작가들의 낭독 행사는 주로 서점이나 출판사 등 행사 주최 측의 누리소통망 또는 작가 개인의 누리소통망 계정으로 홍보되고 있는데, 이러한 홍보 방식은 해당 누리소통망의 이용자만이 정보를 신속하게 받아볼 수 있다는 한계가 있다. 공연예술, 시각예술 등 타 분야의 행사 소식을 찾아볼 수 있는 플랫폼이 운영되고 있는 반면에, 문학 분야는 낭독회 등의 행사 정보를 한눈에 찾아볼 수 있는 플랫폼이 부재한 상황이다. 또한 낭독회의 목적 또한 신간 혹은 장소 마케팅에 초점이 맞춰져 도서를 출간한 기성 작가 위주로 진행되고 있다. 공통점 연구모임은 이와 같은 문학 분야 플랫폼의 한계 속에서 독서 공동체 랑랑이 자체적으로 낭독회 소식을 조사하고 콘텐츠화하는 활동이 시 낭독 문화를 발전하는 데 기여하는 유의미한 활동이라고 생각되어 낭독과 관련한 의견을 들어보고자 면접 조사를 요청하였다. 면접 조사는 공통점 연구모임 2인과 독서 공동체 랑랑의 구성원 3인이 참여한 가운데 대면으로 2시간 동안 진행되었다.

일시: 2023년 10월 9일 오후 6시 | 장소: 카페 4F
인원: 공통점(조온윤, 윤소현), 독서 공동체 랑랑(이책, 가지, 갈치)

Q. 독서 공동체 랑랑의 구성원과 역할을 소개해 주세요.

이책: 독서 공동체 랑랑은 함께하는 독서 문화를 고민하는 단체입니다. 2022년부터 지금 필요한 독서 공동체를 고민하고 있어요. 첫 번째 구상이 '낭독하는 공동체'입니다. 그래서 다양한 사람들에게 낭독과 낭독회 체험을 주기 위해 노력하고 있어요. 팀원은 이책, 가지, 심말, 갈치까지 총 네 명이고, 저는 에디터와 기획을 담당합니다. 랑랑은 낭독회를 함께 기획합니다. 주제를 정해 가지고 있거나 읽어본 텍스트를 목록화해 관련 플레이리스트도 짜서 함께 시를 즐길 수 있도록 구성하고 있어요.

가지: 에디터 겸 인스타그램 관리를 맡고 있습니다. 공강 낭독회 같은 행사가 있을 때 행사의 진행이 원활하도록 보조, 행사 기록도 겸하고 있습니다.

갈치: 저는 포스터 및 굿즈 디자인을 담당하고 있습니다. 또 랑랑의 다른 멤버 심말은 에디터 겸 블로그 관리를 맡고 있어요.

Q. 독서 공동체 랑랑은 어떻게 결성되었나요?

이책: 2022년 초에 같은 과 동기였던 가지와 제가 공모전에 나가려고 구상하면서 랑랑이 시작됐어요. 낭독이라는 독서 활동의 매력과 낭독회의 문화적 잠재성을 눈여겨봤던 것 같아요. 그리고 소수의 함께 같은 방향으로 활동을 해볼 사람들을 찾다가 심말과 갈치를 만났습니다.

Q. 그간 독서 공동체 랑랑의 활동도 소개해 줄 수 있을까요?

이책: 독서 공동체 랑랑의 활동은 다음과 같습니다.

[표 16] 독서 공동체 랑랑의 낭독 활동 소개

구분	내용
온라인 낭독회	처음엔 온라인 낭독 세미나라는 이름을 달고 비대면으로 시작했습니다. 2022년 4월부터 12월까지 매주 일요일 저녁 8시에 1시간씩 진행했어요. 스카이프 링크로 접속하면 누구든 들어와서 무료로 관람할 수 있었어요. 총 30회를 했네요. 다양한 낭독 실험을 할 수 있었어요.
공강 낭독회	빈 강의실에서 열리는 작은 낭독회입니다. 랑랑의 첫 오프라인 낭독회 시리즈이기도 하고요. 경희대학교 외국어대학의 빈 강의실에서 열었어요. 랑랑 멤버 4명 중 3명이 같은 대학 같은 과였기에 학교를 택하게 되었습니다. 학교 강의실이 참 예쁜데요. 수업과 수업 사이 시간에 빈 강의실에서 낭독회가 열리면 누군가 들어오지 않을까 싶어서 시작했죠. 두 학기 동안 5번 정도 진행했어요.
벗밭과 함께 가을 식구 낭독회	22년 11월에 청년 먹거리를 고민하는 단체 벗밭과 함께 공동 낭독회를 열었어요. 학교 밖에서 연 랑랑의 첫 오프라인 낭독회였어요. 가을 식구라는 제목으로 다양한 방식으로 사과를 함께 먹으며 사과와 가을과 관련한 시를 읽었어요.
오늘의 낭독회 (금주의 낭독회)	인스타그램 게시물로 매주 전국에서 열리는 낭독회 정보를 모으고 알리는 프로젝트예요. 23년 3월부터 지금까지 하고 있어요.
랑랑 북클럽	올해 8월부터 온라인 낭독회를 대신해 낭독하는 북클럽을 진행하고 있어요. 지금은 두번째 시즌인데요. 시즌별로 조금씩 바꿔가며 낭독과 독서의 가능성을 모색해 보려고 해요.

Q. 낭독회 행사를 알려주는 콘텐츠를 만들고 직접 낭독회를 기획하기도 하는 등 낭독과 관련한 활동을 하게 된 계기는 무엇인가요?

이책: 낭독회는 지금 여기서 할 수 있는 것을 하자는 마음에서 시작했습니다. 이전부터 경기도는 서울에 비해 문화 인프라가 부족하다고 느꼈어요. 그게 불만이었는데 생각해 보니 없으면 직접 만들면 되지 않을까 싶어 공강 시간에 낭독회를 열었습니다. 왜 낭독회였냐. 대학 1학년 때는 코로나19 이전이었고, 서울에서 낭독회가 많았어요. 그래서 신촌, 홍대 부근의 낭독회를 꾸준히 갔고, 거기서 문학 텍스트를 새롭게 읽는 법, 즐기는 법을 알게 됐습니다. 이 분위기, 이 체험, 이 감각은 뭘까. 함께 읽는 듯한 느낌을 계속 가져보고 싶고 나누고 싶었어요. 낭독회 행사 알림은 '오늘은 무슨 낭독회가 열릴까?' 하고 저희가 궁금해서 시작한 프로그램입니다. 정보를 모아 한눈에 보고 싶었어요. 잠시 랑랑에 활동 가능한 인원이 2명일 때가 있었는데, 그래서 현실적으로 오프라인 행사보다도 온라인에 집중하게 됐어요. 또 사람들에게 낭독회를 알리자는 공동체의 본질을 위해선 인스타그램에 낭독회 행사를 알리면 누군가는 참여할 수 있지 않을까 싶었어요. 관심 있어도 정보가 파편화되어 있으니 서점, 독립책방, 도서관, 시인 개개인 등을 다 팔로우 하지 않으면 놓치는 경우가 많으니까요.

Q. 그렇다면, 독서 공동체 랑랑의 활동 목표는 무엇인가요?

이책: 다양한 사람들에게 낭독과 낭독회 체험을 주기 위해 노력하는 것입니다.

가지: 낭독에 관심이 있고, 낭독회를 편히 즐기는 사람들이

많아지길 바랍니다. 낭독과 관련된 우리의 경험담을 책으로 내고 싶어요.

갈치: 글을 최대한 즐겨보자는 마음으로 임하고 있어요. 그리고 이 즐거움을 다른 사람과 함께 나누고 싶다는 목표가 있습니다.

Q. 독서 공동체 랑랑에게 낭독 혹은 낭독회는 어떤 의미인가요? 낭독의 특별한 매력이 무엇인지 들어보고 싶어요.

이책: 낭독은 쉽게 독서의 매력에 빠질 수 있는 문인 것 같아요. 동시에 모두가 한 사람 한 사람에게 집중할 수 있어요. 타인을 있는 그대로 존중하고, 들여다보는 방식으로요.

가지: 전에는 누가 글을 소리 내서 읽냐고 생각했다면, 지금은 탐독에 있어 떼려야 뗄 수 없는 꼭 필요한 무언가라고 생각합니다. 글을 더 멋있게 음미하고 싶어질 때 여러 사람과 모여 소리 내어 읽으면 시간이 지나도 그때의 기억이 계속 떠올라서 즐거워요.

갈치: 그냥 읽고 넘겼을 글이 소리가 되면 더 깊은 의미로 다가오는 것 같아요. 저에게 낭독은 수업 시간 지명 당했을 때나 하게 되는 행동이었는데 랑랑을 만나고서는 글을 다채롭게 즐기는 방법 중 하나가 되었습니다.

Q. 매주 게시되는 낭독회 알림 콘텐츠인 〈오늘의 낭독회〉도 잘 받아보고 있습니다. 이러한 낭독회 정보는 어떻게 수집하고 있나요?

대화 중인 문학동인 공통점과 독서 공동체 랑랑.

이책: 오로지 인스타그램에서 낭독회 정보를 수집합니다. 인스타그램의 계정 태그와 해시태그 기능의 연결성을 이용하여 낭독회 책방, 도서관, 서점 등을 팔로우하고 시간 날 때마다 정보를 수집하려고 해요. 사실 해시태그로 검색한 게시물의 최신순이 사라지고 인기순만 뜨게 되면서 불편함을 느끼고 있어요. 저희처럼 작가 없이 하는 낭독회들은 노출되기가 더욱더 어렵습니다. 다들 낭독회를 이미 아는 기관이나 유명인의 홍보를 통해서야 접하는데, 이게 지속된다면 등단 작가가 아닌 소규모의 낭독회는 눈에 띌 수가 없어요.

Q. 시 낭독회 경험에 관해서도 여쭙고 싶어요. 지금까지 어떤 낭독회에 관객 혹은 낭독자로 참여했나요?

이책: 위트앤시니컬에서 진행된 낭독회나 특정 시인분들의 낭독회에 주로 참여했어요. 작년부터는 304 낭독회에 시간이 될 때마다 가려고 해요.

가지: 랑랑의 낭독회를 제외하면 시 낭독회를 두 번 다녀왔습니다. 위트앤시니컬 낭독 나눔 모임 〈진은영 함께 읽기〉는 관객 겸 낭독자로 참여했고, 304 낭독회에선 관객으로 참여했습니다. 랑랑의 온라인 낭독회와 공강 낭독회에선 주로 낭독자로 참여했습니다.

Q. 그중 기억에 남는 낭독회가 있나요? 해당 낭독회는 어떤 식으로 진행되었는지도 궁금합니다.

이책: 2023년도 문학주간 프로그램 중에서 민음사의 '오늘의 시인 총서'를 시인과 함께 읽는 낭독회가 있었습니다. 관객이 소수였는데 진행을 맡은 시인이 관객들을 한 명씩 무대로 불러서 같이 토크도 하고 낭독도 했습니다. 분위기가 좋았어요. 처음 가본 건 위트앤시니컬에서 열린 시집 출간 기념 낭독회였는데, 혼자 읽었던 감상과 시인이 읽으면서 느껴지는 의도와 충돌했을 때, 같은 시가 다르게 느껴지면서 낭독의 매력을 알게 되었습니다. 예를 들어 물음표가 없던 문장이 질문하는 듯한 느낌으로 낭독되면서 다른 의미로도 읽힐 수 있겠구나 싶었어요. 저희가 기획했던 낭독회로는 작년 12월 공강 낭독회 3회, 〈글 속엔 세상이 있어〉도 기억에 남습니다. 참여자들이 함께 텍스트를 정했으면 좋겠다고 하여 러시아어, 중국어, 프랑스어학과 등등의 인원이 설문조사로 의견을 내 낭독회를 했습니다. 설문 덕분인지 많이 참석해 주시고 즐거웠습니다.

가지: 위트앤시니컬의 낭독 나눔 모임 〈진은영 함께 읽기〉가 기억에 남습니다. 해당 낭독회는 평론가 한 분과 사회

자 한 분이 진행과 해설을 맡으셨고, 참여자 전원이 시를 한 편씩 낭독하는 행사였습니다. 각자 낭독이 끝날 때마다 모르는 사람끼리도 스스럼없이 시에 대한 감상을 말하고 질문을 하고 평론가뿐만 아니라 관객 모두와 교류하며 답을 하는 방식으로 진행되어 인상 깊었습니다. 랑랑의 공강 낭독회 중에서 고르자면 5회가 가장 기억에 남습니다.

갈치: 저는 랑랑 기획의 낭독회 중 로알드 달의 소설 『무섭고 징그럽고 끔찍한 동물들』을 읽었던 열아홉 번째 온라인 낭독회가 가장 기억에 남습니다. 모두가 하나씩 역할을 맡아 연극을 하듯 단편소설을 읽었는데 새로운 낭독법을 시도해 볼 수 있어 즐거웠습니다. 이후로도 랑랑은 소설을 낭독할 때 대사를 읽어줄 이를 따로 구하는 등 이 낭독법이 정착되어 더욱 인상 깊습니다.

Q. 해당 낭독회의 주최자 혹은 주최는 어디였나요?

이책: 문학주간 행사 측과 민음사 서점입니다.

가지: 해당 낭독회의 주최는 위트앤시니컬이었습니다.

갈치: 랑랑입니다. 제안자는 갈치였어요.

Q. 해당 낭독회의 성격은 어떠하다고 생각했나요?

이책: 관객 구성형 낭독회였습니다. 관객에게 의견을 묻는 정도를 넘어, 시인과의 토크, 관객이 참여하는 낭독 위주였습니다. 심지어 읽은 시의 절반 정도는 (행사를 주최한) 시인의 시도 아니었어요. 관객과 진행자의 경계

가 무너진 기분이었습니다.

가지: 모두가 적극적으로 의견을 나누고 감상을 교류했기 때문에 참여도가 높고 적극적인 낭독회였습니다.

갈치: 낭독에 대한 여러 가지 실험을 해보며 발전해 나가는 능동적이고 주체적인 낭독회였다고 생각합니다.

Q. 낭독회의 참가비는 얼마였나요?

이책: 둘 다 무료였습니다. 관객 참여 비용으로 만 원 정도면 부담 없이 갈 수 있지 않나 싶습니다.

가지: 해당 낭독회의 참가비는 10,000원이었습니다.

갈치: 무료였습니다.

Q. 그렇다면 낭독회에 참여하는 낭독자의 적정 사례비는 얼마라고 생각하나요?

이책: 랑랑이 기획한 낭독회에 작가를 초청해 본 경험은 없지만, 만약 우리가 사례비를 받는다면 어느 정도가 적정한지 생각해 보았습니다. 2시간 기준의 낭독회라면 10만 원 정도가 적정할 것 같아요.

Q. 시인의 예술 활동에서 시 낭독 활동과 낭독회 참여가 얼마나 중요하다고 생각하나요?

이책: 시인이 독자들과 소통하며 활동할 힘을 얻고 새로운 독자가 유입될 수 있는 기회예요.

가지: 중요하다고 생각합니다. 요즘의 시 낭독회는 주로 시

인의 신간을 홍보하기 위한 행사인 경우가 많은데, 시인의 작품을 홍보할 수 있는 수단이 바로 시를 좋아하는 사람들이 모일 낭독회인 것 같습니다. 시인의 예술 활동이 꾸준히 이어지려면 금전적인 부분도 무시할 수 없으니까요.

갈치: 활동을 이어나가기 위해서는 수입이 필요합니다. 점점 더 다들 책을 잘 안 읽지 않나요. 그렇기에 시인의 낭독회 참여는 시인의 자기 PR을 할 수 있는 시간이기에 매우 중요한 일이라고 생각해요.

Q. 본 연구에서 가장 핵심으로 꼽는 질문을 드리고 싶어요. 시 낭독을 시인의 예술 활동이라고 생각하나요?

이책: 시 낭독은 창작자와 독자 모두가 참여하는 예술 활동이라고 생각합니다. 그렇기에 시인의 시 낭독도 시인의 예술 활동에 포함됩니다. 시인의 낭독 활동이 홍보뿐만 아니라 그 자체로 예술성이 있다고 봅니다. 저는 랑랑의 낭독회도 예술성이 있다고 봐요.

가지: 시인의 예술 활동은 시집을 집필하는 창작에 한해서만이 아니라, 그 작품으로 하는 모든 것들이 다 예술 활동이라고 생각합니다.

갈치: 무대에서 진행되는 모든 활동을 예술이라 부르는데 시 낭독이 예술이 아닐 이유는 없지 않을까. 하지만 존 케이지의 〈4분 33초〉처럼 그 시간과 공간에 함께하는 모든 이들의 예술이지, 시인만의 예술은 아니라고 생각합니다. 다만 시는 창작자의 의도를 전달하는 게 목적인 개념예술은 아니기에, 참여자 하나하나의 목소리로

새롭게 낭독회의 예술성을 만들어내는 데에 중점을 두어야 해요.

Q. 방금 질문에 이어서, 시 낭독이 예술활동증명 실적으로 포함될 필요성이 있다고 생각하나요?

이책: 아직 시를 예술 활동이라고 여기는 시인이 많지는 않은 것 같지만, 낭독에 예술성을 가지고 다양한 구성으로 낭독을 시도한다면 예술활동증명 실적으로도 포함될 수 있다고 생각합니다. 다만 시인들에게 낭독이 의무가 되지 않았으면 합니다. 낭독은 자유고 시인의 성향에 따라 다를 수밖에 없어요.

가지: 사실 시인이 혼자 처음부터 끝까지 낭독을 하지 않는 낭독회도 있고, 다른 시인의 시를 낭독하는 경우도 있으니, 과연 실적으로 남길 수 있을 기준은 무엇인가 하는 의문이 듭니다.

갈치: 앞서 말한 것처럼 낭독은 모든 이의 예술이에요. 시인만의 예술이 아니기에 개인의 예술활동증명 실적으로 들어가기는 어려울 것 같아요.

Q. 그렇다면, 시인들의 시 낭독에 대한 문학적 비평은 가능하다고 생각하나요?

이책: 가능하지 않을까요. 낭독이 문학에 포함된다고 봐요. 여럿이 함께하는 문학이에요. 작가가 낭독으로 텍스트를 전달할 수도 있고 독자가 낭독할 수도 있죠. 낭독은 주체가 누구든 다시 쓰고 말하는 과정이라 생각해요.

하나의 예술이고 문학입니다. 그렇기 위해서는 낭독자들이 작품의 새로운 가능성이나 관객과의 소통을 염두에 두고 적극적으로 기획해야 예술성을 가지고 비평으로도 이어지지 않을까 합니다.

가지: 비평가들이 낭독회를 관람하며 낭독회에서 실시간으로 비평이 진행된다면 충분히 가능하지 않을까 생각합니다.

갈치: 뮤지컬 역시 관객과 소통하는 장르이나 그 비평의 범위는 작품 자체에만 그칩니다. 살아 숨 쉬는 체험인 낭독회의 경우에는 작품 자체에 한하는 것이 아닌 이상 문학적 비평이 어려울 것 같습니다.

Q. 낭독자로서 관객 앞에, 무대에 서는 건 세 분에게 어떤 의미일까요? 특별히 신경을 쓰는 부분이 있는지도 궁금합니다.

이책: 내가 이 텍스트를 어떻게 읽었는지를 표현할 기회라고 생각했어요. 텍스트의 분위기나 호흡까지도 낭독으로 전달하려 충실했습니다.

가지: 저도 비슷합니다.

갈치: 저도요. 낭독자로서 정확한 발음을 하려, 절지 않으려 노력했습니다.

Q. 선호하는 낭독회 진행 방식이 있을까요?

이책: 관객들도 참여해서 만들어가는 낭독회를 좋아합니다. 그러나 진행자가 고심해서 기획한 낭독회도 그 의미를 읽어내는 게 재밌어요. 이전에 다녀온 김뉘연 시인의

낭독회가 그랬습니다.

가지: 다른 길로 새지 않도록 최소한의 중심을 잡아주는 진행자가 있되, 그가 A부터 Z까지 전부 도맡아서 하는 것이 아니었으면 해요. 낭독회에 참여하는 모두가 한 번씩은 낭독을 할 수 있게 하는 낭독회 진행 방식을 선호합니다. 랑랑의 낭독회와 같이, 관객이 읽는 작품도 배정되는 것이 아니라 자유롭게 읽고 싶은 작품을 선택하는 방식이었으면 해요.

갈치: 진행자가 있되 모두가 자유롭게 참여할 수 있는, 랑랑의 낭독회 같은 진행 방식을 선호합니다.

Q. 앞으로 시인의 낭독 활동 및 낭독 문화가 발전되기 위해서 나누고 싶은 의견이 있을까요?

이책: 낭독이 부담이 아니라 즐거움이어야 합니다. 그러기 위해선 낭독회 기획이 다양해지면 좋겠어요. 낭독 페

대화 중인 문학동인 공통점과 독서 공동체 랑랑.

스티벌이 있으면 좋겠어요. 여러 팀이 다양한 기획을 선보이는 자리요. 작가의 유명세가 아닌 기획자들의 아이디어가 빛나는 낭독회이길 바랍니다, 낭독극. 문학 주간처럼 혜화 일대의 극장 같은 곳에서 낭독회가 매일 여러 개씩 열리는 문화가 조성되어도 재밌겠어요. 그런 기회가 생긴다면 랑랑도 참여하고 싶습니다.

가지: 독서모임과 낭독회는 그다지 다른 것이 아니라고 생각하는데, 다른 사람이 낭독이나 낭독회라는 말을 들었을 때 한발 물러서는 것을 보면 아쉬웠어요. 낭독을 어렵게 대하지 않았으면 좋겠습니다. 그래서 더 많은 낭독회가 열리고, 서울이라는 한정된 지역에서 뿐만이 아니라 다른 지역에서도 자주 열렸으면 해요.

갈치: 낭독을 너무 별것으로 생각하는 것 같아요. 그래서 요즘 랑랑에서는 '랑랑 북클럽'이라는, 북클럽의 형식에 낭독을 접목한 새로운 방식을 실험 중입니다. 이런 식으로 익숙한 것에 낭독을 연결해 나가다 보면 모두에게 낭독이 별것 아니 게 다가갈 수 있지 않을까요.

Q. 다음으로는 낭독 음원 콘텐츠와 관련한 질문을 드리고 싶어요. 낭독 음원 콘텐츠를 이용한 경험이 있는지, 있다면 얼마나 자주 이용하는지 궁금합니다.

이책: 자주 이용합니다. 시요일을 구독해서 시인들의 낭독을 자주 들어요. 유튜브로 낭독 음원이 포함된 영상 콘텐츠를 보기도 하고, 사운드클라우드로 좋아하는 시인의 시 낭독을 듣기도 했습니다.

가지: 출판사에서 올려주는 시인의 낭독 영상을 간혹 볼 때

가 있지만, 자주 이용하지는 않는 편입니다.

갈치: 낭독을 따로 콘텐츠로 듣지는 않습니다.

Q. 어떤 매체와 기기로 음원 콘텐츠를 이용하나요?

이책: 휴대폰으로 주로 유튜브, 가끔 사운드클라우드를 이용합니다.

가지: 유튜브를 봐요.

Q. 시인의 시 낭독을 음원 콘텐츠로 제작하고 유통하는 건 어떻게 생각하나요?

이책: 제작 유통하는 시도가 나왔으면 합니다. 반응을 보고 싶어요.

가지: 출판사에서 시인의 신간이 나왔을 때 유튜브를 통해 시집의 일부를 시인이 직접 낭독하는 콘텐츠를 업로드하고 있습니다. 하지만 한두 번 듣기만 할 뿐, 직접 찾아 듣거나 여러 번 반복해 듣지는 않아요. 음원 콘텐츠로 제작하고 유통하는 것이 좋다고 생각하지만, 음악 콘텐츠만큼 시 낭독이라는 콘텐츠가 주목받을 것 같진 않습니다.

갈치: 사실 낭독회는 직접 참여하여 그 현장감을 즐기는 것에 모든 의의가 있습니다. 그렇기에 음원 콘텐츠로 제작된 시 낭독은 여러 어려움으로 인해 글을 읽지 못하는 이들에게는 도움이 될지 몰라도 낭독회를 대체할 수는 없어요. 물론 그들에게 도움이 되니 제작/유통에 긍정적인 입장이긴 합니다.

Q. 시 낭독 콘텐츠를 제작하고 유통할 때 어떤 점을 유의해야 할까요?

이책: 저작권 수익 분배와 초반 제작 콘텐츠의 질을 신경 써야 할 것 같습니다.

가지: 1순위는 저작권. 다음으로는 들을 때 편하게, 그리고 내용을 이해할 수 있도록 발음이나 억양을 유의해야 해요.

갈치: 저작권. 글을 읽지 못하는 이들을 위해 발음도 정확해야죠.

Q. 혹시 음원 콘텐츠 제작과 관련한 아이디어 등 의견이 있을까요?

이책: 같은 시에도 배경음악이 있는 버전과 없는 버전을 함께 해도 좋을 것 같습니다. 음악가와 협업하는 것도요.

가지: 시 낭독으로 음원 콘텐츠를 제작한다면, 유튜브나 팟캐스트 등으로 먼저 시작해 보는 게 어떨까 싶어요.

Q. 추가로 드리고 싶은 질문이 있어요. 낭독회에서 낭독 방식, 음향 처리, 관객용 스크립트 등을 다양하게 기획하는 건 어떻게 생각하나요?

이책: 다양한 낭독 방식, 음향 처리에 대한 구상, 관객용 스크립트 디자인은 다양한 낭독회 꼴을 만드는 것이라고 생각해요. 낭독회를 하는 이유도 이 다양성 때문이죠.

가지: 아주 좋다고 생각합니다. 딱 한 가지로 정해진 낭독 방식, 음향 처리 등의 기획보다 매번 다양한 방식으로 낭독회를 여는 것이 참여하는 사람들에게도, 행사를 준

비하는 사람들에게도 더 인상 깊게 다가올 수 있고, 다른 낭독회에도 참여할 수 있게 해주는 발판 같은 게 될 수 있다고 생각합니다. 그리고 더 재밌습니다.

갈치: 안 그래도 글을 다채롭게 하는 경험을 더욱 다채로운 방식으로 즐길 수 있으니 매우 긍정적인 입장입니다. 실제로 랑랑에서 그렇게 하고 있기도 하고요.

Q. 향후 독서 공동체 랑랑의 활동 계획도 듣고 싶습니다.

이책: 대학교 밖에서 이루어지는 새로운 방식의 낭독, 지금 필요한 낭독회를 진행할 예정이다.

가지: 책을 내고 유튜브도 하고 싶어요. 영상과 결합한다든지, 낭독하는 작품과 관련된 랑랑만의 굿즈 만들기 등 다양한 콘텐츠를 만들어내고 싶어요. 문학뿐만이 아니라 다양한 종류의 글을 늘 색다른 방식으로 낭독회에 내놓고 싶습니다.

갈치: 글과 목소리를 활용한 다양한 콘텐츠를 만들고 싶어요. 교내에 한정되지 않고 더욱 많은 사람이 낭독과 글에 관심을 가질 수 있도록 말이에요. 그리고 여러 특별한 장소에서 낭독회를 진행해 보고 싶어요. 이를테면 수목원이나 바닷가 등이요.

Q. 마지막으로 전하고 싶은 이야기가 있을까요?

가지: 낭독이 챌린지처럼 유행이 되어 너도나도 자신의 낭독을 틱톡과 유튜브 숏폼 콘텐츠로 올리는, 진정한 낭독인의 시대가 오기를 고대합니다. (끝)

시 낭독의 예술적 가치 연구

1. 연구 소개 2. 자료 조사 3. 인식 조사 4. 전문가 자문 5. 창작자 면접 조사 6. 기획자 면접 조사

7. 시범 공연 결과

8. 결론 및 제언

7. 시범 공연 결과

시범 공연은 본 연구의 결과공유회 및 낭독회 시연으로 〈포에틱-사운드-스테이지〉이라는 이름으로 추진되었다. 〈포에틱-사운드-스테이지〉의 추진 방안으로는 크게 기획 및 작가 섭외 등 준비 단계, 관객 모집 등 홍보 단계, 공연 실행 단계, 관객 대상 만족도 조사 등 분석 및 평가 단계로 이어졌다.

먼저 준비 단계에서는 본 연구의 인식 조사 결과를 토대로, 문학 분야 독자들이 선호하는 진행 방식으로 낭독 공연을 기획하였다. 이에 맞춰 공연 장소 후보를 3곳 선정하였으며, 대관료 및 장비, 시설 등을 비교한 후 '복합문화공간 에무(광타개라지)'를 최종 장소로 확정하였다. 이후 공연에 낭독자로 참여할 시인을 섭외하여 최종 참여자를 확정한 뒤 공연 실행 일정을 조율하였다.

지난 2023년 10월 15일 연구의 결과공유회 및 낭독회 시연으로 개최한 〈포에틱-사운드-스테이지〉의 결과 발표 모습.

〈포에틱-시운드-스테이지〉에서 낭독자로 나선 김연덕, 이서영 시인이 함께 시를 낭독하고 있다.

다음으로 홍보 단계에서는 기획된 콘셉트 및 디자인에 따라 홍보물을 제작했다. 해당 홍보물을 활용하여 누리소통망과 문화예술 관련 누리집 등을 통해 홍보를 진행했다. 시범 공연의 홍보와 동시에 관객 참여 신청을 받아 총 52명을 사전 모집하였고, 목표 인원이었던 30명 이상을 달성하였다.

다음은 실행 단계로, 2023년 10월 15일 오후 5시에 낭독 공연을 개최해 공연 시간인 120분 동안 차례대로 연구 소개 및 결과 공유, 낭독 공연, 시인과의 대화 시간을 진행했다. 사전 신청자를 포함해 50명이 참여한 가운데 공연이 진행되었으며, 연구 결과의 요약 내용 및 낭독 작품을 자료집으로 제작해 참여자에게 배포했다. 한편, 낭독자로 참여한 시인은 최근 낭독 행사와 문학 행사 등에 참여하며 활발하게 활동 중인 시인 5인으로, 작가 활동을 시작한 경로와 시작 시기, 단행본 출간 여부 등을 고려하여 균등하게 섭외하였다. 낭독하는 작품의 편수는 1인당 2~3편으로, 참여 시인으로 하여금 기존 발표작 혹은 신작을 자유롭게 선정하도록 했다. 공연의 진행자는 공통점 연구모임의 윤소현 편집자가 맡았다.

시인에게 질문을 건네는 진행자.

마지막으로, 분석 및 평가 단계에서는 시범 공연의 참여 관객을 대상으로 현장에서 공연 및 낭독에 대한 만족도 조사를 실시했다. 이를 통해 시인의 시 낭독 활동과 낭독 공연에 대한 전반적인 만족도와 예술적 인식도를 추가로 파악할 수 있었으며, 특히 공연 내용 중 만족스러웠던 요소나 보완해야 할 지점 등 다양한 의견을 받아볼 수 있었다. 낭독 공연의 만족도 등 반응 조사 결과는 다음과 같다.

[표 17] 연구 기반 시범 공연의 반응 조사 결과

문항	점수
낭독 공연의 전반적인 만족도는 어떠셨나요?	**4.41 / 5.0**
시인의 낭독을 통한 작품 감상의 만족도는 어떠셨나요?	**4.35 / 5.0**
교차 낭독, 대체 낭독 등 기획적인 낭독 요소의 만족도는 어떠하셨나요?	**4.35 / 5.0**
본 공연에서 선보인 시인의 낭독이 해당 시인의 예술 활동이라고 생각하시나요?	**4.29 / 5.0**
이와 같은 낭독형 공연을 친구나 동료에게 추천하실 의향이 있으신가요?	**4.29 / 5.0**
본 공연을 다시 한번 관람하실 의향이 있으신가요?	**4.29 / 5.0**
본 공연의 낭독이 음원, 영상 콘텐츠 등으로 제작될 시 다시 한 번 감상 및 청음하실 의향이 있으신가요?	**4.06 / 5.0**
본 공연에 관람료를 지불한다면, 얼마가 적당하다고 생각하시나요?	평균 13,641원

[표 18] 시범 공연의 긍정적 요소

항목	응답(비율)
교차 낭독, 대체 낭독 등 기획적 요소	9(56.3%)
시 낭독 연구 내용 공유	3(18.8%)
시인(낭독자)의 낭독 능력	1(6.3%)
낭독시의 작품성	1(6.3%)
시인과의 대화	1(6.3%)
무대 배치 등 관람 환경	1(6.3%)

한편, 시범 공연으로 진행된 이번 〈포에틱-사운드-스테이지〉의 시인별 낭독은 온라인으로 관람할 수 있도록 공통점 아카이브에 기록해두었다.[1]

〈포에틱-시운드-스테이지〉에서 관객과 소통하고 있는 시인들.

마이크를 주고받는 시인들의 손.

1) 공통점이 기획한 시 낭독의 예술적 가치 연구 결과 공유회 및 낭독회 〈포에틱-사운드-스테이지〉는 주소창에 공통점 아카이브(http://commonpoint.kr) 입력 혹은 다음 QR 코드로 접속해 다시 볼 수 있다.

공연을 마친 뒤 참여 시인과 기획자 단체 사진. 윗줄 왼쪽부터 시계 방향으로 김보나, 이서영, 김연덕, 전욱진, 신혜아림, 김도경, 조온윤, 윤소현.

시 낭독의 예술적 가치 연구 1. 연구 소개 2. 자료 조사 3. 인식 조사 4. 전문가 자문 5. 창작자 면접 조사 6. 기획자 면접 조사 7. 시범 공연 결과 8. 결론 및 제언

8. 결론 및 제언

본 연구는 문학 분야 창작자 중 시인이 육성으로 본인의 저작물을 낭독하는 공연형 행사가 증가하고 있다는 추세에 비추어 시 낭독 공연의 예술 활동 인정 가능성, 시 낭독 공연에 대한 문학적 비평의 가능성 등을 고찰하고자 했다. 이를 위해 출판사별 시집 총서 출간에 따른 낭독 행사 운영 현황 조사, 문학 분야 독자 및 창작자 대상 인식 조사, 시 분야 창작자 및 낭독 행사 기획자 대상 면접 조사를 수행하였다.

연구 첫 단계로 수행한 출판사별 대표 시집 총서 출간 자료와 낭독 행사 운영 여부 등 현황을 조사한 결과, 시인의 시 낭독 활동과 낭독 행사는 인식의 제고와 함께 점점 다양해지고 증가하는 추세라는 것을 알 수 있었다. 이처럼 시 낭독이 최근 시인의 주요 활동으로 활성화되고 있는바, 공통점은 시를 낭독하는 행위가 지니는 예술적 가치와 더불어 시인의 예술 활동에 대한 정의도 새롭게 논의할 필요성을 절감할 수 있었다. 연구 결과를 토대로 공통점 연구모임이 도출한 결론 및 제언은 다음과 같다.

첫째로, 문학 분야의 독자 및 창작자는 대부분 시 낭독을 시인의 예술 활동으로 인식하고 있었다. 문학 분야 독자 및 창작자 대상 인식도 조사, 창작자 및 기획자 대상 면접 조사, 시범 공연의 반응 조사 등 결과에 따르면, 응답자는 대부분 시인의 시 낭독 활동이 예술성을 지니고 있다고 인식하는 것으로 나타났다. 이는 시 낭독이 단순히 신작 출간 이후 출판사의 판촉 및 홍보 성격으로만 이루어지지 않는다는 점을 시사한다.

이러한 인식 변화는 시인의 사회적 참여와 문화적 역할에 긍정적 영향을 주는 한편, 앞으로 대중적인 인식이 더 강화된다면 현재 낭독 행사의 정보를 접할 수 있는 플랫폼의 부재한 상황 속에서 관련 플랫폼의 개발 필요성, 시인의 사회적 위치 제고 등 다양한 논의를 가져올 수 있을 것으로 예상한다. 앞으로 시인의 시 낭독과 관련한 문학 분야 활동 전반의 발전을 가져올 수 있을 것이다.

둘째로, 시인의 낭독 행위에 대한 문학 비평의 발전 가능성을 발견할 수 있었다. 문학 분야 전문가 자문 잎 면접 조사의 결과에 따르면 대부분 비평이 가능하다고 인식하고 있었으며, 본 연구는 문학의 역사를 거슬러 올라가 시의 원형적 매체인 '시인의 육성'을 되찾고 시인이 시로써 청자들을 광장에 그러모아 공동체를 강화하는 역할을 할 수 있다는 기대감 또한 가질 수가 있었다. 다만, 어떤 시 낭독이 좋은 낭독이고 좋지 않은 낭독인지를 판단하고 분석하는 질적 비평의 기준 및 가치 척도는 후속적인 연구가 수행되어야 할 것으로 여긴다. 여기에는 기본적인 텍스트 문학 비평과 더불어 음운론적 분석과 공연예술의 비평 요소, 나아가 행위예술에 대한 비평 요소 등을 참고할 수 있을 것이다.

셋째로, 시인의 시 낭독에 대한 공식적인 예술 활동 인정의 필요가 있는 것으로 나타났다. 현재 한국예술인복지재단이 주관하는 「예술활동증명」 제도는 예술인의 예술 활동 실적에 따라 해당 예술인에게 복지 혜택을 제공하고 각종 예술인 지원사업에 참여할 수 있는 자격을 부여하는 제도로, 드물게 공공기관의 승인을 통해 예술인으로서 공적으로 인정받는 방법의 하나이다. 기술과의 결합 등 융복합 예술로 확장하는 타

예술 장르와 달리 문학의 경우에는 문예지, 단행본 등의 지면을 통한 발표로 그 예술 활동의 범위를 한정하고 있다. 즉, 시인의 예술 활동은 현재 웹진을 포함한 문예지, 단행본, 공동저서에 직접 창작한 시를 게재하는 방식으로 발표할 때라야 인정받게 되지만, 낭독 행사 혹은 음원 콘텐츠를 통해 작품을 발표하고 전달하는 방식 또한 예술 활동의 한 가지로 받아들여질 수 있다는 가능성을 진단해 보게 된다.

물론 시 낭독의 예술 활동 인정에 관해서는 다양한 측면에서의 논의가 앞서야 할 것이다. 해결해야 하는 지점으로 첫째, 낭독 행사 참여를 통한 시 낭독이 예술 활동으로 인정된다면 해당 행사의 주관 단체, 관객 유무, 참여 횟수 등이 정확한 기준이 규정되어야 할 것이다. 이러한 기준이 확립되지 않은 상태로 예술 활동 인정이 추진된다면 무분별한 제도 악용이 일어날 수 있다는 위험 가능성을 생각해 보게 된다.

마지막으로, 인식 조사 결과 문학 분야 독자와 창작자가 시 낭독을 예술 활동으로 인식하는 정도에 비하여 이를 제도적인 측면에서 시인의 공식적인 예술 활동으로 인정하고 관련 제도를 개선해야 하는지에 대해서는 다소 낮은 필요성을 보이고 있었다. 이는 대부분의 시 낭독 활동이 출판 홍보의 성격을 띤 일회성 행사로 이뤄지며 작가의 낭독 행위가 작품 활동과는 별개의 이벤트적인 요소로 소비되기 때문으로 분석된다.

아울러, 대중의 인식과 별개로 제도적인 부분의 개선과 관련해서는 더욱더 활발한 논의가 필요하다는 점도 유념해야 한다. 만약 시 낭독이 공식적인 예술 활동으로 인정되어 시인의 낭독 행위가 작품 집필 외 활동으로 높은 비중을 차지하게 된다면 오히려 작품 창작을 방해받게 되는 부작용이 발생할 수 있다는 점도 고민해야 하는 지점이다. 어떻게 하면 시인의 창작에 악영향을 주지 않고 문학 장르의 반경을 넓힐 수 있을지는 후속적인 연구가 계속되어야 할 것이다.

끝으로

시 낭독 공연의 예술 활동 인정이 시인을 비롯한 문학 분야 창작자에게 중요한 이유는 이러한 인식과 제도 변화가 시 문학의 장르적 영역을 확장하고 문학 작가가 예술 활동을 지속하는 데에 기여할 수 있기 때문이다. 특히, 시 낭독 공연의 예술 활동 인정은 문학이라는 예술 장르의 형식적 경계를 확장하는 계기가 될 수 있다. 현대의 시각예술은 미디어아트와 미디어 파사드, 퍼포먼스, 관객 참여형 전시 등으로 형식적 영역이 확장되고 있으며, 이때 미디어아트는 스토리텔링과 영상, 음향이라는 영화적 요소가 첨가되고, 퍼포먼스는 재현이 불가한 일회성이라는 공연예술의 요소를 포함하는 등 시각예술은 장르의 경계를 넘나들며 다원화되는 추세이다.

문학은 이와 달리 오랫동안 지면과 텍스트라는 보수적인 매체와 정의를 유지해 온 바 있다. 웹진, E-북 등 전자적 매체의 등장이라는 변화가 있었으나, 이 또한 단순히 지면 위의 텍스트를 전자기기 화면으로 옮겨온 것이라는 한계가 있었고, 예술 활동을 통한 수입 또한 지면 게재에 대한 원고료와 개인 저서의 인세 등 출판과 관련한 영역으로 제한될 수밖에 없었다.

시 낭독 공연은 일회성, 현장성이라는 공연예술의 요소와 무대 조명, 음향 등의 기술을 가져오지만 시라는 언어를 중심으로 한다는 점에서 지면이라는 오랜 매체가 배제되었음에도 불구하고 여전히 문학적 활동이다. 아울러, 시인의 작품집 출간과 연계하는 홍보 및 판촉 활동으로서의 시 낭독 행사가 꾸준히 증가하고 있으므로, 시 낭독이 단순히 홍보 수단이 아닌 문학 분야의 예술 활동 중 한 가지로 인정되고 대중에게도 인식된다면, 향후 시 문학의 형식적 경계가 확장되고 언어 중심의 다원적 예술로서 발전할 수 있을 것으로 기대해 볼 수 있다. 공통점 연구모임은 이번 연구를 토대로 시 낭독에 대한 문화예술계의 다양한 담론이 생산될 수 있기를 바란다.

참고문헌

양경언. 내가 이 세상에 소풍 나온 강아지 새끼인 줄 아느냐—포에트리 슬램의 정치성에 대한 메모. 월간 현대시, 2022년 7월호: 133-149.

이기대. 독서의 전통적 방법과 낭독의 효과. 한국학연구, 70: 105-131.

이기대. 낭독 관련 기록에 나타난 듣는 독자의 등장과 국문소설에 대한 인식. 어문론집, 80: 123-157.

주현진. 문학 문화콘텐츠의 원형, 낭독. 국제언어문학, 34: 25-42.

걷는사람. 걷는사람 네이버 블로그. 검색일 2023.11.15., https://blog.naver.com/walker2017

문학과지성사. 문학과지성사 누리집. 검색일 2023.11.15., https://moonji.com/about/moonji

문학동네. 문학동네 누리집. 검색일 2023.11.15., https://www.munhak.com/brand/intro.php

민음사. 민음사 누리집. 검색일 2023.11.15., http://minumsa.com/about/history/history-1

아침달. 아침달 네이버 블로그, 검색일 2023.11.15., https://blog.naver.com/achimdalbooks

창비. 창비 누리집. 검색일 2023.11.15., https://www.changbi.com/about

현대문학. 현대문학 누리집. 검색일 2023.11.15., https://www.hdmh.co.kr/front/intro/companyIntro-

duction
함께하는 출판그룹 파란. 함께하는 출판그룹 파란 다음 카페. 검색일 2023.11.15., https://cafe.daum.net/bookparan2015
문화체육관광부. 2018년 예술인 실태조사. 2019.
한국도서관협회. 2022년 전국 공공도서관 통계조사. 2022.
한국출판문화산업진흥원. 2022년 지역서점 실태조사. 2022.

도움을 주신 분들
김도경, 김보나, 김연덕, 신용목, 양경언, 이서영, 전욱진, 독서 공동체 랑랑(이책, 가지, 갈치, 심말)

시 낭독의 예술적 가치 연구

펴낸날	2024년 3월 2일
펴낸곳	공통점
펴낸이	신혜아림
지은이	조온윤 윤소현 신혜아림
편집·디자인	조온윤 윤소현
출판등록	2020년 4월 6일 제2020-000015호
ISBN	979-11-970782-5-5 (93800)

누리집	공통점 아카이브 http://commonpoint.kr
누리소통망	인스타그램 @commonpoint.kr
전자우편	commonpoint@naver.com

이 자료집은 서울문화재단 2023년 예술연구활동지원사업의 지원을 받아 만들었습니다.